Ключи 🗝 судьбы

Валерия Вербинина

Заблудившаяся муза

ЭКСМО

Москва 2013

УДК 82-3
ББК 84(2Рос-Рус)6-4
    В 31

Оформление серии *Д. Сазонова*

Вербинина В.

В 31   Заблудившаяся муза : роман / Валерия Вербинина. —
М. : Эксмо, 2013. — 320 с. — (Ключи судьбы).

ISBN 978-5-699-66519-8

Знаменитый композитор Дмитрий Иванович Чигринский считал себя человеком, стойким к ударам судьбы, но убийство любимой женщины
буквально подкосило его. Найдя Оленьку мертвой, он ужасно растерялся
и никак не мог сообразить, как ему поступить. Позвать полицию? Но он
первым окажется на подозрении, а журналисты радостно смешают его имя
с грязью... Когда Чигринский пытался избавиться от тела своей любовницы,
невольной свидетельницей этого стала Амалия Корф, бывший секретный
агент российского императора. По какой-то причине она решила принять
участие в судьбе бедного Чигринского и пообещала провести собственное
расследование. Измученный композитор уже не знал, повезло ли ему или
он окончательно погиб из-за того, что тем вечером ему встретилась на Английской набережной баронесса Корф...

УДК 82-3
ББК 84(2Рос-Рус)6-4

ISBN 978-5-699-66519-8

ГЛАВА 1

ПРОБУЖДЕНИЕ

Знаменитый композитор Дмитрий Иванович Чигринский проснулся утром с таким ощущением, словно ему следовало повеситься еще вчера. Однако вчера, судя по всему, дело не заладилось, и сегодня надо было начинать все сначала.

Он полежал в постели, прислушиваясь к себе, но внутри было глухо и сумеречно. Ни мелодии, ни намека на нее, ни одной музыкальной фразы. Склеп, мрачно помыслил Чигринский, склеп в отдаленном углу кладбища, куда даже не доносятся обрывки похоронных маршей. Все тут пришло в запустение, все мертво, как его душа, из которой ушла музыка. Произошло это около двух недель тому назад.

Да-с, именно так и никак иначе. Еще за день до того он был полон самых разнообразных замыслов и в голове порхали обрывки мотивов, привольные, как бабочки, танцующие в солнечном свете; и вот — не угодно ли — просыпаешься у себя в спальне, и вокруг все такое же, как и всегда, и на противоположной стене висит глупый пейзаж с глупым морем и луной над ним, похожей на апельсин, — пейзаж, который он видит и сейчас, — и обстановка вокруг знакомая до боли, но настоящая-то боль впереди, потому что внезапно он осознает, что что-то не так. И пейзаж не тот, и спальня, и он сам, а все потому, что он больше не чувствует музыки. Ее нет, а стало быть, нет ни его самого, ни его дома, ни Невы, ни Петербурга. А если и есть, то все это неважно, потому что музыка — его музыка — умерла.

Вот так он проснулся недели две тому назад, и едва подумал о новых стихах поэта Алексея Нередина, к которым хотел сочинить мелодию, как с оторопью, переходящей в панику, осознал, что ничего у него не получится. Музыки больше нет, и что с ней стало — бог весть. И вернется ли, не вернется — совершенно непонятно. Одним словом, кончился композитор Чигринский. Баста. Каюк!

Обыкновенно Дмитрий Иванович смеялся над людьми, которые с томным видом уверяли, что их покинуло вдохновение и они больше не могут сочинить ни строчки. Ему всегда казалось, что это поза, призванная лишь оправдать собственную лень, а иногда — не слишком умело замаскированный шантаж, чтобы выжать из издателей побольше денег. Однако когда с ним самим приключилось это несчастье (а в том, что это именно несчастье, он больше не сомневался), он заметался и, во всяком случае, потерял всякое желание подтрунивать над другими. Как-то вдруг выяснилось, что вдохновение — не комнатная собачка, которую позвали, и она уже бежит, виляя хвостом. Кроме того, выяснилось, что оно безжалостно, что оно не уходит даже, а исчезает, не оставив никакого знака, никакого указания на то, как его можно вернуть обратно.

И самое обидное: было совершенно непонятно, чем Дмитрий Иванович мог заслужить такую немилость. Тщетно ломал он голову, пытаясь вспомнить нечто особенное, какие-то обстоятельства, из-за которых композиторский дар мог покинуть его...

Нет, он не выжимал из себя по сто модных мелодий в год — непосильная нагрузка, от которой выдохнется любое, даже самое изобретательное, вдохновение. И если он и пил, то вполне умеренно (дюжина шампанского на дне рождения Алешки Нередина не в счет, они друзья, а дни рождения друзей надо отмечать широко). Не было в жизни Чигринского и глупой отвлекающей страстишки, пылкой любви к какой-нибудь чаровнице с холодными глазами, которая пришпилила бы его сердце к шлейфу своего шелкового платья и валяла его в пыли. То есть любовь-то, в общем, была, но любовь — как бы выразиться поточнее — необременительная, согласная занимать то место, которое он ей давал, любовь, которая не требовала от него немыслимых жертв и мирно уживалась с его призванием (тут он вспомнил голубые глаза Оленьки и улыбнулся). И не был он болен, как Алешка, которого ни с того ни с сего сразила чахотка, и не случалось в его жизни ничего эдакого, после чего она покатилась бы в тартарары, сминая и уничтожая человеческую личность, как какую-нибудь бумажку. И вообще, ничего, *ничего* не изменилось по сравнению с теми счастливыми (он теперь ясно видел это) днями, когда он мог сочинять, и мелодий было столько, что они теснились в воображении и рвались наружу, словно торопясь обогнать друг друга.

Когда он только осознал свою беду, он думал, что случившееся — явление временное, и музыка куда-то отлучилась, чтобы вскоре вернуться. Но прошел день, потом другой, затем неделя, вторая, и Чигринский затосковал. Он блуждал по своему кабинету (двенадцать шагов по диагонали ковра туда, двенадцать шагов обратно), засунув руки в карманы потрепанного коричневого халата, в котором ходил дома, и с отчаянием понимал, что ничего, ну ничегошеньки не может поделать. Пианино, на котором он обычно сочинял свои мелодии, стояло темное и торжественное, как гроб, и композитору чудилось, что даже оно осуждает его.

Выдохся! выдохся! исписался, голубчик, исчерпал себя, улетела муза, или не муза, а как там ее... которая стоит за твоим плечом и водит пером, и весь мир кажется тогда по плечу (каков каламбур, а?).

Чигринский был натурой здоровой, и его никогда не тянуло к самоубийству, но в эти дни, когда страшное слово — исписался — предстало перед ним во всем своем жутком величии, во всей омерзительной красе, он поймал себя на том, что чаще стал смотреть на пистолеты, которые, верный своей привычке, продолжал хранить у себя дома (в прошлом, до того, как стать любимцем публики и известным всей России композитором, Дмитрий Иванович был всего лишь гусарским офицером).

Оно, конечно, верно: жизнь есть непреходящая и величайшая ценность, но, если это жизнь Дмитрия Чигринского и из нее ушла музыка, на кой она ему сдалась?

Он заворочался в постели, пытаясь уловить хоть что-то, хоть какое-то подобие мелодии, рождающееся в воображении, но там все было пусто и скучно — ничего и никого. Ни ноты, ни отзвука, ни даже эха. И Чигринский с горечью подумал, что так, наверное, должна себя чувствовать сломанная шарманка.

Впрочем, шарманку еще можно починить, а кто починит его?

От таких мыслей впору было и в самом деле повеситься. Вот вам, пожалуйста: крепкий, здоровый, полный сил мужчина, пользующийся популярностью и даже (что бывает гораздо реже) уважением общества, всего в жизни добившийся сам, один из известнейших композиторов России — и, кстати, один из немногих, которого знают за границей. Денег у него достаточно, женщины к нему льнут, и вообще все, все хорошо, только музыка, или муза, черт ее разберет, его покинула. И лежит он колодой на смятых простынях, смутно размышляя о том, что ему хочется лишь умереть и ничто абсолютно его не радует.

Поехать, что ли, к Дюссо (по старой памяти он хаживал в этот ресторан, любимый офицерами) и напиться так, чтобы чертям стало тошно? А смысл?

Поехать к Оленьке и утонуть в ее чудесных голубых глазах? А смысл?

Или отправиться на какой-нибудь званый вечер (он редко показывался на них, и оттого его жаждали заполучить к себе даже самые изысканные, самые аристократические салоны)? А смысл?

Вот и получалось, что без музыки ничто не имело смысла. Ну будет он ходить среди фраков и тренов как живой мертвец, и все будут думать, что он такой же, как все, и только ему будет ведомо, что на самом деле он больше не существует, а тот Дмитрий Иванович Чигринский, которым все восхищаются, — лишь миф, личина. Так, одна видимость.

От одной мысли об этом он почувствовал себя больным и поглубже зарылся в одеяло. Ничто его не радовало, ничто не могло утешить с тех пор, как его музыка ушла.

«Лучше бы я умер», — обреченно подумал он и чихнул.

ГЛАВА 2

МУЗЫКА И ЕЕ СЛУЖИТЕЛИ

— Прошка! — взревел Чигринский.

Чихнув еще раз, он нашарил на прикроватном столике колокольчик, опрокинул по пути что-то — кажется, стопку книг — и чертыхнулся по-гусарски крепко.

— Прошка! — заорал Чигринский, яростно звоня.

Дверь приоткрылась, и в образовавшуюся щель просунулась узкая бледная физиономия с длинным носом, украшенным бородавкой. Это был Прохор Антипов, формально — слуга Дмитрия Ивановича, а по сути — его преданный раб, нянька и незаменимый помощник.

До того как попасть на службу к композитору, Прохор был регентом в каком-то захолустном углу обширной Российской империи и скорее всего там

10

бы и окончил свои дни, но по воле провидения его жизненный путь скрестился с дорогой Чигринского, скучавшего в имении своих знакомых по соседству. Разговорившись с сутулым, некрасивым, смешным человечком, который вечно вышагивал со связкой растрепанных нот под мышкой, Чигринский узнал, что тот очень любит музыку, а кроме того, имеет феноменальную память и практически абсолютный слух. Из-за этого, кстати, судьба сыграла с ним злую шутку: он собирался жениться на дочке местного кузнеца, но, на беду, выяснил, что она не может отличить си от фа. Прохор сначала рассердился, потом возмутился и под конец объявил, что такая жена ему не нужна. Приводить жениха в чувство явился сам кузнец, известный тяжелой рукой и крутым нравом. Своей мощной дланью он ухватил тщедушного Антипова за бороденку, но тот, извиваясь аки ящерица, вырвался (очевидцы утверждали, что как ящерица оставляет врагу на память свой хвост, так и Прохору пришлось попрощаться с частью своей жидкой бороды) и заперся на колокольне, громко крича:

— Изыди, анафема!

— Спускайся, подлец! — кричал снизу кузнец, потрясая клочьями Прохоровой бороды, зажатыми в кулачище величиной с хорошую дыню.

— А вот и не спущусь! — отвечал сверху осмелевший Прохор. — Как же это можно — не уметь ноты различать? Ладно буквы, их тьма-тьмущая, но ноты!..

Слушая рассказ о злоключениях Прохора, которому кузнец с присовокуплением многочисленных бранных слов пообещал вправить мозги так, что он забудет не только ноты, но и свое собственное имя,

Чигринский хохотал до того, что на глазах у него выступили слезы. А отсмеявшись, он без всяких околичностей предложил Прохору поступить к нему на службу.

— Ну, не знаю, не знаю, сударь, — забурчал тот, сдвинув свои лохматые брови. — Вы лицо светское, а я не привыкши...

— Да ладно тебе, — махнул рукой Чигринский. — Ты же сам говорил, что твой хор — сплошное мучение, у половины нет голоса, а только старание. На одном старании далеко не уедешь... Впрочем, поступай как знаешь, — уже сердито добавил композитор, который терпеть не мог уламывать кого бы то ни было. — Хочешь, чтобы кузнец тебе в сумерках голову проломил, — твое дело...

Поразмыслив, Прохор признал справедливость слов Дмитрия Ивановича и уже на следующий день перенес к композитору свои вещи. Половину их составляли ноты и разные сочинения о музыке, большинство которых напечатали еще тогда, когда ни Прохора, ни Чигринского на свете не было.

— Ба, а вот эта книжка на латыни! — изумился Чигринский. — В руках рассыпается, но читать можно... Ты что, и латынь знаешь?

— Не знаю, — вздохнул Прохор, — ну а вдруг выучу? Прочитаю тогда, что умные люди о музыке-то написали... Заглавие видели? «De musicae mundi»[1], во как!

— По-моему, это какой-то философский трактат, — хмыкнул Чигринский, не без труда продрав-

____
[1] «О музыке мира» (*лат.*).

шись через несколько фраз текста. — Ладно, как прочитаешь, расскажешь, о чем там говорится...

Он удалился, а через минуту Прохор сквозь неплотно притворенные двери расслышал, как его новый хозяин музицирует. Антипов застыл на месте, на его глазах выступили слезы, одна из которых потекла по длинному носу и докатилась до бородавки. Музыку Прохор обожал до чрезвычайности, а какой-нибудь особенно удачный пассаж мог и вовсе привести его в состояние, близкое к экстазу. Но, хотя мало кто так разбирался в музыке, как этот невзрачный рыжеватый человечек, таланта к сочинительству у Антипова не было. И, учуяв этот самый талант в Чигринском, бывший регент прилепился к нему всей своей восторженной душой.

Прохорово видение мира было предельно ясным: вселенная вертится вокруг Дмитрия Ивановича, а если в учебниках написано, что какие-то малозначительные планеты вращаются вокруг Солнца, то это недоразумение, которое простительно людям, в музыке не смыслящим. За короткое время новый слуга сделался положительно незаменим. Он разобрался с кредиторами, которые допекали Чигринского еще с гусарских времен, завел в доме ненавязчивый, но строгий порядок и, присмотревшись к друзьям и знакомым хозяина, рассортировал их по каким-то ему одному ведомым воображаемым полочкам. Он изловчился отваживать тех, которые только зря тратили время (и деньги) добродушного, расточительного композитора и, наоборот, привечал тех, которые оказывали на Чигринского хорошее влияние или были ему действительно необхо-

димы. Кроме того, Прохор принимал многочисленных посетителей и частенько, едва перекинувшись
с человеком парой слов, определял, кто действительно нуждается во внимании или в помощи, а кто
явился лишь для того, чтобы вечером небрежно
уронить в кругу приятелей: «Сегодня я навестил
Дмитрия Ивановича... Какого Дмитрия Ивановича?
Чигринского, разумеется... Да, который музыкант.
Представьте, мы с ним давно знакомы...» и далее
расписывать историю знакомства, которая сильно
озадачила бы самого композитора, который сегодня
видел гостя первый раз в жизни. А еще бывали дамы, причем самые разные, от модисток до послан-
ниц великих княжон, — тех, которые любили музыку Чигринского и считали своим долгом сообщить
ему это через посредниц, являвшихся в обманчиво
скромных нарядах.

— Ну что они все от меня хотят? — стонал композитор. — «Ах, как я люблю ваши песни, сколько
в них поэзии, сколько чувства, сколько изящества!»
И что? Я должен запрыгать от радости? Сойти с ума
от счастья? И ведь хвалят-то обычно самые дурац-
кие, самые никчемные вещи, просто буквально: сел
к роялю и, смеясь, записал между двумя трубками!
А потом барышни друг у друга ноты вырывают, чуть
ли не дерутся из-за них в магазинах...

Прохор слушал и смиренно кивал, но в глубине
души был уверен, что хвалят совершенно правильно и что именно то, что, как казалось Чигринскому,
он выдумал на ходу, безо всяких усилий, у него получалось лучше всего. Как только он начинал размышлять об отделке, о какой-то своей музыкальной

философии, его музыка становилась тяжеловесной, рассудочной, какой-то немецкой. Но Прохор скорее отрезал бы себе язык, чем признался в крамольных мыслях хозяину, которого боготворил...

Чигринский был мастером небольших вещей, таких мелодий, которые любой мало-мальски образованный человек может исполнить, таких песен, которые каждый может спеть. И мало этого: услышав написанное им один раз, мало кто отказался бы прослушать то же самое во второй, и даже несколько раз кряду. Его музыка как-то незаметно будила в каждом свои собственные мысли и чувства, она касалась таких струн души, которые подвластны далеко не каждому композитору, пусть даже очень хорошему. Злопыхатели (а их, само собой, имелось предостаточно) уверяли, что секрет Чигринского на самом деле в том, что он прост как дважды два, и его мелодии точно такие же. Но именно эта простота почему-то никому, кроме него, не давалась.

Он любил сочинять песни на стихи известного поэта Алексея Нередина[1], с которым начал приятельствовать еще тогда, когда оба служили в армии. Писал он также вальсы, ноктюрны и сюиты, а как-то раз сочинил бравурно-маршевую мелодию к довольно неприличным стихам сослуживца, которые высмеивали армейские порядки и разные мелкие шалости, известные узкому кругу лиц. Марш потом был опубликован, разумеется, без слов. Так он звучал чрезвычайно торжественно, но все, кто некогда присутствовал при первом, авторском, исполнении

---

[1] Об Алексее Нередине подробнее можно прочитать в романе «Похититель звезд».

этой мелодии и помнили слова, которые сами же они выкрикивали хором в задней комнате заведения небезызвестной мадам Дуду, прилагали колоссальные усилия, чтобы во время исполнения не умереть со смеху.

Но все это осталось в прошлом — и армия, и падение с лошади, когда Чигринский сломал ногу и, оказавшись в постели, начал от скуки сочинять музыку; в прошлом были и известность, а потом и настоящая слава — которая, впрочем, не помешала его отцу, отставному генералу, всегда находившемуся в ссоре со всеми, кроме себя самого, холодно процедить сквозь зубы: «Я надеюсь, ты знал, что делал, когда ушел в отставку ради твоих дурацких песенок...»

Нет, конечно, слава Дмитрия Ивановича была пока при нем, да и армейская выправка никуда не делась. Проблема была в том, что что-то сломалось в нем самом, раз музыка покинула его.

«И чем я только провинился?» — с досадой подумал он и вновь чихнул три раза подряд.

— Прошка! Почему такой собачий холод?

— Так вы сами-с вчера-с сказали, что вам жарко, сил нет, аж дышать не можете, — почтительно напомнил верный слуга. — Вот я и...

— Ты уморить меня хочешь? — возмутился Чигринский, ворочаясь с боку на бок и подтягивая одеяло повыше, чтобы сохранить тепло. — Вчера это, положим, было вчера, а сегодня — это сегодня, и вообще... Нет, — продолжал он, заводясь, — это прекрасно: я в собственном доме должен околеть от холода! Скажите, пожалуйста!

— Сейчас сделаем потеплее, — сообщил Прошка и куда-то умчался рысью.

Он прибежал с охапкой поленьев, по пути вернул на стол упавшие с него книжки и как-то очень ловко и умело растопил камин. Чигринский мрачно наблюдал за его манипуляциями. От каминов, вспомнил он, бывает угарный газ, а от угарного газа умирают. Лежал бы он сейчас окоченевший и тихий, причитали бы над ним в два голоса Прошка и обширная кухарка Мавра, и никто, ни один человек на свете не узнал бы, что он исписался, как последний, прости господи, беллетрист...

Поленья потрескивали, огонь весело полыхал, и луна на картине походила уже не на апельсин, а на лимон. Чигринский посмотрел на нее и выразительно скривился.

— Который час?

За слугу ответили стенные часы, которые пробили десять. Чигринский возмутился сам себе и полез из постели прочь. Оттолкнув Прошку, он надел любимый, драный и много раз чиненный коричневый халат, который верой и правдой служил ему много лет. Данный халат уже давно являлся причиной молчаливой борьбы между ним и слугой, который находил (кстати, вполне резонно), что знаменитому композитору, гусарскому офицеру и вообще российскому дворянину негоже щеголять дома в каких-то обносках. Время от времени Прохор подступался к господину со смиренной просьбой избавиться наконец от халата и сменить его на что-нибудь приличное. Чигринский кивал, соглашался, но от халата отказываться не спешил. Вконец отчаявшись,

Прохор съездил в модный магазин и приволок оттуда восхитительный шлафрок, расшитый павлинами и пестрой чепухой, изображающей сад с такими диковинными цветами, о которых даже не подозревает ботаника. Особенный соблазн шлафрока заключался в том, что пояс у него был с золотыми кистями, а, по мысли Прохора, ни один человек в мире не мог устоять против таких кистей. И точно, Дмитрий Иванович скинул наконец коричневого залатанца, облачился в шлафрок и даже, чего за ним отродясь не водилось, покрутился перед зеркалом. Держа на вытянутых руках обвисший тряпкой проклятый халат, Прохор тихо-тихо попятился к выходу, не чуя под собой ног. Шаг, другой...

— Стой!

Зычным голосом Чигринский вернул Прохора и, сбросив обольстительный шлафрок, вновь облачился в свой мерзкий халат. От огорчения у слуги даже губы задрожали.

— Что-то у меня от него тело чешется, — снисходительно объяснил свое решение Чигринский. — Да и не привык я к этим павлиньим красотам...

Впрочем, новый халат он сохранил и изредка выходил в нем к самым скучным, самым торжественным гостям, которых никак нельзя было выпроводить иначе. Чигринский говорил с ними минут пять и уходил, а они уезжали, твердо убежденные в том, что видели знаменитого композитора в домашней обстановке, среди изысканных ваз севрского фарфора и на фоне сверкающего рояля, застывшего на толстенном ковре «савоннери».

И фарфор, и роскошный рояль лучшей фирмы, к которому Чигринский почти не подходил, и даже ковер (по которому некогда будто бы ступали ножки маркизы де Помпадур) были заслугой Прохора, стремившегося обустроить холостяцкую берлогу своего хозяина как можно лучше. Однако Чигринский был равнодушен к красоте, которая его окружала — разумеется, если речь шла не о женской красоте. У себя в спальне он повесил самый никчемный, самый шаблонный, самый жалкий вид ночного моря, который когда-либо выходил из-под кисти живописца, дома, как уже было сказано, ходил в старом халате, а музыку сочинял чуть ли не на чердаке, в комнатушке на верхнем этаже, куда вела узкая и необыкновенно скрипучая лестница. Там стояло старое, раздолбанное и поцарапанное пианино с пожелтевшими клавишами, без которого он не мыслил своего существования, на стенах были серенькие обои в полосочку, которые уместны разве что в самых дешевых меблированных комнатах. Верный Прохор выдержал целую битву за то, чтобы вызвать настройщика для пианино, но на то, чтобы заставить хозяина сменить обои, его сил уже не хватило. Когда он доказывал Чигринскому, что у инструмента ужасный звук, тот только пожимал плечами и говорил:

— На что мне твой звук? Вся моя музыка здесь, понимаешь, здесь! — и стучал себя согнутым пальцем по высокому, с залысинами, лбу.

...Да-с, и куда же она делась? Непостижимо, право, непостижимо...

ГЛАВА 3

ПРИЗНАНИЕ

Фыркая, как потревоженный слон, Дмитрий Иванович умылся, расчесал свои редеющие темные волосы и сел бриться перед зеркалом, которое держал слуга. Прохор не раз и не два пытался объяснить хозяину, что он сам отлично справится с ролью брадобрея, но все было тщетно: Чигринский не признавал никаких доводов. Он носил усы, воинственно топорщившиеся в стороны, а остальную часть лица всегда брил собственноручно. О причине такого поведения он никому не любил рассказывать. Дело в том, что, когда их полк стоял в Гомеле, знакомому Чигринского во время бритья перерезал горло цирюльник — очень тихий, незаметный и приветливый с виду человечек — за то, что офицер хаживал к его жене. По правде говоря, у Чигринского тоже было в мыслях как-нибудь к ней заглянуть, но после трагедии он, само собой, отказался от своего намерения. Кроме того, он вскоре поймал себя на том, что с подозрением стал относиться к людям, у которых в руках острые предметы. А так как Дмитрий Иванович был человеком решительным, то он взял за правило бриться сам, ибо проще быть уверенным в том, кого ты знаешь лучше всех на свете, нежели в самом замечательном цирюльнике с самой достойной репутацией.

— Что пишут в газетах? — промычал он, вытирая лицо салфеткой.

Чигринский не жаловал газеты. Обыкновенно они писали всякую чепуху или же витиевато рассуждали о политике, которая, по мысли композитора, была самой чепуховой чепухой на свете. Поэтому Прохору вменялось в обязанности читать прессу от корки до корки и, только если обнаружится что-то интересное, докладывать об этом хозяину.

— Что они могут писать? — с достоинством промолвил Прохор, пожимая плечами. Перейдя на службу к Чигринскому, он стал копировать его прическу, зачесывая волосы назад, и отказался от бороды в пользу усов, которые, впрочем, не выказывали особого намерения расти. Как это часто бывает, подражание оказалось куда хуже оригинала. Залихватски торчащие усы Чигринского были частью его широкой, добродушной натуры и чрезвычайно шли ему, а при взгляде на Прохора возникала мысль, что у него губы ниточкой, а открытый лоб чересчур костист.

— Так что, совсем ничего?.. — спросил композитор.

— У Алексея Ивановича скоро выходит новая книга стихов, но вы, наверное, уже знаете...

— Знаю.

— Намекают, что мы можем заключить с Германией договор. Значит, договор будет с Францией.

— Этого еще не хватало, — проворчал Чигринский. — Что немцы, что французы те еще затейники. Если они и станут клясться нам в дружбе, то только для того, чтобы мы таскали для них каштаны из огня...

— Гм, — с некоторой растерянностью промолвил Прохор. — Но ведь России нужны друзья в Европе...

— У России нет друзей, — отрезал композитор. — И слава богу, потому что с друзьями в политике еще хуже, чем с врагами... Что-нибудь еще в газетах пишут? Только не о международном положении, не о пошлинах и не о покойном князе Бисмарке...

— Разве бывший германский рейхсканцлер[1] скончался? — искренне изумился Прохор. — Я не знал...

— Раз бывший и не у власти, значит, все равно что скончался, — хмыкнул неисправимый Чигринский, который жаловал политиков еще меньше, чем политику. — Как только этих господ отправляют в отставку, можно сразу же сочинять им некролог... гм... Подай-ка мне ножницы.

Он подровнял усы и любовно оглядел их.

— Что молчишь, Прохор? Рассказывай, что еще в газетах пишут...

— Да вам все это неинтересно, Дмитрий Иванович... Миллионер Дидерихс, говорят, обзавелся автомобилем... вещь по последнему слову техники. Певица Кирсанова дает концерт... Полиция задержала горничную по делу убитой генеральши Громовой... пишут, это она ограбила хозяйку... У служанки нашли два украденных кольца.

— Ты мне зубы-то не заговаривай, — заметил Чигринский, насмешливо щурясь. — Небось опять меня в газетах честят на все корки, а ты мне все про договоры да про дураков, которые берут грех на душу из-за каких-то колец? Что там про меня опять написали, а?

---

[1] Германский император Вильгельм II отправил Бисмарка в отставку в марте 1890 года.

Дмитрий Иванович слишком хорошо знал своего слугу, чтобы не уловить в его голосе фальшивые нотки, когда тот рассказывал о чем угодно, только не о том, что действительно могло заинтересовать хозяина. Прохор замялся.

— Илларион Петрович Изюмов оперу пишет для Большого, — почему-то шепотом доложил он.

— Ах, шельма! — развеселился Чигринский. — Оперу? Для Большого? Ну, ну... И как он ее пишет? Стянул кусок у Глинки, кусок у Верди и думает, что никто ничего не заметит? Только в Большом и способны слопать такую пакость...

— Он с репортером беседовал, который расспрашивал его о творческих планах, — мрачно молвил Прохор. — И среди прочего сказал, что в отличие от вас стремится к настоящей славе, потому как простые песенки ее не доставят, а опера, балет — это серьезно...

— Прошка, да ты что, совсем дурак, что ли? — уже сердито вскричал Чигринский. — Какая опера, какой балет? Думаешь, это так, сел, решил: ах, я сейчас напишу оперу! — и готово? К славе он, видите ли, стремится! — продолжал композитор, в волнении ходя по спальне. — Скажите, пожалуйста, какая цаца! Оперу просто так не напишешь, да-с! Заметь, я говорю о простой опере, даже не о том, чтобы сделать что-то стоящее... Сюжет нужен, а где его взять? Все подходящие уже растаскали, все же нынче умники... Затем: либретто! Героиня поет, а ведь она должна петь о чем-то? То же и герой! Вон, драматургам хорошо... Островским всяким... Шекспирам! Сел за стол и строчи что хочешь, никто не указ! Им ни с кем сотрудничать не нужно... Кто мне будет либретто писать, а? — грозно вопросил Чигринский, нависая над съежившимся слугой. — Алешка, что ли? Стану я его такими пустяками волновать, когда он в санатории лечится! Пригласишь другого... так он, подлец, с порога начнет расписывать, сколько процентов прибыли ему должно причитаться... это когда еще ни сюжета, ни строчки не написано, ничего! И что? Мне лезть в эту кабалу? Ладно еще что приличное будет, а если такая чепуха, что не приведи господи? Как мне это на музыку класть?

— Но ведь вам писали... предлагали услуги... — напомнил робко Прохор. — Если, мол, что, то вы можете на них рассчитывать... И писатели вполне известные...

Чигринский махнул рукой и рухнул в кресло.

— Э, в том-то и дело, что я ни на кого рассчитывать не могу! «Опера, балет», — свирепо передразнил он. — Все это замечательно, но — не вышла у меня песня... или Алешкины стихи подкачали, или я сам сплоховал, что я делаю? Правильно: пишу другую, а он сочиняет другие стихи. И публика очень быстро забывает о неудаче... А теперь представь: я, которого то и дело попрекают, что он в консерваториях не учился и музыкального образования не имеет, полезу в оперу... или балет, неважно! Ведь это не на неделю работы и даже не на месяц... а ну как она провалится? А ведь провалиться может по какой угодно причине: главная певица будет не в духе, а они всегда не в духе, или с декорациями напортачат... или еще что-нибудь... И знаешь, кто тут самый первый враг? Не публика, хотя она глупа до безобразия, не болваны, которые пишут рецензии и охаивают все, что не относится к их собственным приятелям... а вот эти вот... жрецы искусства, чтоб им пропасть! Сочинил свою «Спящую красавицу» Чайковский, и что ему говорит балетмейстер Петипа? Именно Петипа, который в музыке — как считается — собаку съел... Петипа с важным видом говорит: пардон, месье, но у вас не танцевальная музыка, под нее танцевать нельзя, это не балет... Здорово, да? Так бы и пропал Чайковский вместе со своей работой, если бы не император, который сказал: «А я говорю — танцуйте...» Ну и что хорошего ждать в стране, где самодержец лучше разбирается в музыке, чем профессионал? — яростно спросил Чигринский у безответной луны на картине. — Ничего!

— Я верю, вы могли бы написать значительную вещь, — твердо ответил Прохор. — Когда-нибудь, когда у вас будет ваш сюжет... когда все сойдется, как надо...

Чигринский хотел сказать что-то резкое, но поглядел на лицо верного слуги и только ворчливым тоном осведомился, где завтрак.

До появления Прохора Чигринский не признавал столовых и ел — то есть перекусывал на скорую руку — либо в спальне, либо в своем кабинете, но постепенно слуге удалось приучить композитора к мысли, что все-таки принимать пищу надо в комнате, специально для этого предназначенной. Стоит отметить, что Прохор порядочно потрудился над тем, чтобы эту комнату украсить, хотя Чигринский по привычке не обращал внимания ни на французскую мебель, ни на старинные серебряные подсвечники, ни на тяжелые шторы из синего бархата.

Бросив взгляд за окно, Дмитрий Иванович помрачнел. Погода была истинно петербургская: сверху что-то серое под названием небо, внизу вода, тоже серая, а между ними зажат, как в клещах, черный город.

— Сволочь этот Петр, — горько молвил Чигринский.

Прохор, который силился понять, какого именно Петра хозяин имеет в виду, взглянул на него непонимающе.

— Да, да, Петр Первый, — пояснил композитор, давая волю своему дурному настроению. — Обязательно ему надо было втиснуть Петербург на эти постылые берега... и кто его просил, спрашивается? Не мог для столицы империи подыскать чего-нибудь получше, покрасивее да потеплее... Есть же, в конце концов, такие города, как Одесса...

— Во времена Петра Алексеевича Одессы еще не было, — напомнил Прохор, которого слегка покоробила фамильярность хозяина. Сам Антипов чрезвычайно уважал царскую фамилию и не одобрял замечаний в ее адрес. — Она тогда у турок была, ее только при Екатерине Великой завоевали.

— Ну так отбил бы ее у турок, — хмыкнул Чигринский, помешивая кофе. — Подумаешь, важное дело... А Киев? Что ему мешало, спрашивается, столицу в Киев вернуть? Мать городов русских, как-никак... хотя, конечно, — с озорством добавил он, — какая из Киева мать, когда он мужского рода?

Прохор фыркнул.

— Или Екатеринодар, например... А, нет, этот тоже позже основан...

— Вам не к лицу так отзываться о государе императоре, — не удержавшись, наставительно заметил Прохор.

— А? — удивился Дмитрий Иванович, который успел уже все позабыть. — Ты это о чем?

— Ну вот вы только что сказали о Петре Алексеевиче...

— Что он сволочь? Конечно, сволочь, — решительно ответил бывший гусарский офицер. — Собственного сына порешил... За такое в Сибирь ссылают, между прочим.

Прохор понял, что хозяина ему не переубедить, и почел за благо умолкнуть.

После завтрака Чигринский уселся в углу парадной гостиной и стал просматривать почту. Это была та самая гостиная, где на толстом ковре тосковал рояль, чьи клавиши никогда не тревожила рука композитора. Порой, когда к Дмитрию Ивановичу являлись фотографы, он позировал им именно здесь, стоя возле рояля. Сам он не любил свои фото и вообще смотреть на себя не любил. Внешность у него была заурядная, штабс-капитанская — армия все же оставила на нем значительный отпечаток; и пальцы толстые, как сардельки. Глядя на них, даже как-то не верилось, что их обладатель способен сочинять такие нежные, хватающие за душу мелодии.

Письмо от Нередина Чигринский стал читать в первую очередь, но оно было такое длинное и запутанное, что разобраться в его сути оказалось нелегко. Бросив взгляд на пачку оставшихся писем, композитор крикнул:

— Прошка! Помоги мне разобрать письма... Бери те, которые от незнакомых, и читай. Если что важное, сразу говори... Да не стой ты, садись, не маячь перед глазами!

Едва дыша от оказанной ему чести, Прохор приземлился в кресло по другую сторону круглого столика, на котором в беспорядке лежали конверты, и стал разбирать их.

— Это у тебя что за письмо? — через несколько минут заинтересовался Дмитрий Иванович. — У тебя аж нос ходуном ходит...

Прошка поджал губы.

— Некая Наталья Александровна Богомаз просит вас о помощи... шестнадцать детей сидят без хлеба, четверо болеют...

— Раз хватило ума слепить шестнадцать детей, должно хватить ума и на хлеб им заработать, — парировал Чигринский. — Знаю я этих просителей: сидят в меблирашках и день-деньской строчат письма о помощи, которые рассылают по адресам из справочника... А вместо шестнадцати детей дай бог шесть, и вовсе не больные, а такие, на которых пахать можно...

— Она уже четыре раза вам писала, — заметил слуга. — На прошлой неделе, кажется, детей было девять.

— Значит, за неделю еще семеро родились! — расхохотался Чигринский.

«Так-то оно так, — подумал верный Прохор, — а вот без меня бы вы последние деньги ей послали, которые она бы с радостью пропила...» Даже в мыслях он именовал Дмитрия Ивановича на «вы».

Прочие письма в мятых, замызганных конвертах оказались в том же роде, и Прохор не без удовольствия поглядел на конверт, который разительно отличался от предыдущих. Он был плотный, с гербом и монограммой и вид имел неприступный, как герцогиня на балу. Краем глаза слуга заметил, что хозяин тоже заинтересовался необычным конвертом.

— Что там? — небрежно спросил Чигринский, дочитывая последние строки нерединского письма.

— Баронесса Корф спрашивает, не почтите ли вы своим присутствием благотворительный вечер, который она устраивает, и не согласитесь ли сыграть на нем, — отозвался слуга, пробежав глазами короткое послание на надушенной бумаге.

— Корф? — Усы Чигринского воинственно встопорщились. — Немчура? К немчуре не пойду, — категорично заявил он.

— Дмитрий Иванович...

— Я сказал — не пойду!

И по его виду Прохор понял, что спорить бесполезно.

Дмитрий Иванович не любил немцев. Точно так же не любил он греков, армян, евреев, французов, поляков, татар, грузин, — перечислять можно очень, очень долго. Самого себя он считал русским, хотя в его родословной встречались и некая очаровательная осетинка, вскружившая голову его прадеду, и француз, и дама из Саксонии, которую ветром странствий прибило к недолговечному двору Анны Леопольдовны, и татарский князь. Все эти люди, если бы удалось их собрать в одной комнате, чрезвычайно удивились бы тому, что им суждено было породниться через своего знаменитого потомка. Возможно, татарский князь вообще не ушел бы живым от пращура Чигринского, который имел обыкновение сажать татар на колья...

Но никакие предки иной национальности не могли помешать Чигринскому считать себя с головы до ног русским, равно как не могли помешать ему энергично презирать все нерусское, если на него находил такой стих. Особенно он выходил из себя, если считал, что при нем задевают или пытаются унизить русский народ. Тогда он готов был лезть в драку и пререкаться до хрипоты, до самых обидных, самых оскорбительных высказываний. Об этой особенности композитора всем отлично было известно, и тем не менее никто не удивился, когда именно Чигринский, а не кто другой, дал пощечину пьяному зрителю, который на представлении в театре громко обозвал дирижера Азаряна «паршивым армяшкой». Скандал мог получиться нешуточный, потому что побитый зритель занимал весьма высокое положение, но вмешались влиятельные поклонницы композитора, и дело замяли, а ироничный Азарян прислал своему защитнику корзину алых роз, которую тот отослал обратно с советом послать их лучше графине С., которая была тогда любовницей дирижера. Азарян расхохотался и пригласил Чигринского в лучший петербургский ресторан.

— Ваша музыка мне нравится, — сказал дирижер после того, как они разделались с первыми блюдами и на подходе была очередная бутылка отличного вина. — Она искрится и заражает. Поверьте, это очень хорошо, но я вижу, что ваш талант шире, гораздо шире. — Он прищурился. — Почему бы вам не написать что-нибудь серьезное, к примеру, балет?

Чигринский терпеть не мог разговоров о широте своего таланта, а также о том, что ему следует (или не следует) делать. Поэтому он проглотил бокал вина и объявил, что у него нет идеи ни для балета, ни для оперы, ни для симфонии в четырнадцати частях с прологом и эпилогом.

— Жаль, — вздохнул Азарян. — Ваша музыка очень нравится балерине Малиновской, она говорила мне, что у вас она готова станцевать что угодно.

— Она не балерина, — отозвался Чигринский. — Да, она танцует первые партии, но...

Он имел в виду, что «балерина» было тогда почетным званием, которое вовсе не давалось по умолчанию всем, кто выступал в балетах на императорской сцене. И хотя Малиновская тогда царила в Мариинском театре и была так же знаменита, как и ее бриллианты, звание балерины эта талантливая танцовщица получила только через год.

— Я бы на вашем месте все-таки подумал, — заметил дирижер. — Коротко говоря, если вы когда-нибудь перемените свое мнение, я сочту за честь дирижировать у вас оркестром.

Чигринский пообещал подумать, но сам он ни над чем таким размышлять не собирался. Некоторые люди рождены для того, чтобы дышать театральной атмосферой, композитору же она казалась убогой и скучной. Ему претили интриги, которыми насыщена театральная жизнь, капризы звезд и вообще вся громоздкая машина, которая именуется театром. Он был проницателен и видел, сколько там случайных и малоталантливых людей и как горька бывает судьба людей талантливых, но не сумевших вписаться в жесткие рамки. Что касается публики, то Чигринский никогда ей не доверял — ни тогда, когда о нем никто не знал, ни тогда, когда он уже сделался знаменитым. Порой ему представлялось, что он только по чистой случайности сумел приручить какое-то многоголовое чудовище и что одна оплошность, о которой он может даже не подозревать, приведет к тому, что все рухнет. В конце концов, сколько было композиторов, которые начинали с блеском, а кончали свои дни в нищете? А ведь еще больше таких, кто на многое были способны, но так и не сумели ничего добиться...

Нет, ему не на что жаловаться: он не искал успеха и даже не помышлял о нем, тот пришел словно сам собой — и именно тогда, когда Чигринский был еще молод и мог насладиться всеми преимуществами удачи. Добиться славы в тридцать или в шестьдесят лет, даже в пятьдесят — большая разница. Поздний успех нередко озлобляет: ведь ему предшествовало столько разочарований...

«Уж не за свою ли раннюю славу я расплачиваюсь теперь?» — смутно подумал Чигринский.

Разобрав письма, он поднялся в свою келью, как в шутку иногда называл свое рабочее пространство. Стол, стул, низкий диван, ширма, пианино, за которым он написал все свои вещи. Когда-то ему казалось, что именно это пианино приносит ему удачу.

Но пианино стояло на прежнем месте, а музыки не было и в помине.

Насупившись, Чигринский закурил трубку, сделал круг по комнате, выглянул наружу. Он любил, чтобы из окна была видна река, но теперь вид Мойки, катившей свои воды, не вызывал в нем ничего, кроме раздражения. Он даже задернул занавески, чего с ним раньше здесь не случалось.

«Попробовать, что ли?»

Он сел за пианино и стал перебирать клавиши. За дверью послышался шорох: это Прохор уселся на стуле с пером и нотной бумагой наготове.

Когда Дмитрий Иванович был в настроении, он сочинял так быстро, что не всегда успевал записывать. Бывало и так, что он импровизировал, не записывая вообще и полагаясь лишь на свою память. Но однажды он таким образом упустил очень красивую, как ему казалось, мелодию. Она растворилась в окружающем пространстве, оставив лишь впечатление чего-то очень светлого, пропавшего по его вине. Два дня Чигринский ходил сам не свой, ероша волосы и куря трубки одну за другой, и наконец рассказал слуге о причине своих терзаний.

— Это, стало быть, то, что вы сочиняли в среду? — почтительно спросил Прохор. — Одну минуту-с...

И действительно, через минуту он принес несколько листков, покрытых нотными знаками. Чигринский схватил их, и его сердце забилось сильнее. То была она!

— Как же ты сумел? — удивился композитор. — Запомнил ты ее, что ли?

Прохор покраснел и признался, что уже некоторое время он записывает за хозяином, когда тот играет. Просто стоит за дверью и...

— Ну, стоять тебе больше не нужно, — засмеялся тронутый таким поклонением композитор. — В другой раз бери стул и устраивайся поудобнее.

Осмелевший Прохор предложил другое: он будет сидеть в комнате за ширмой, тихо, как мышь, когда хозяин сочиняет. Однако Дмитрий Иванович покачал головой.

— Не обижайся, Прохор Матвеич, но я не могу сочинять в присутствии посторонних. Вот хоть кто угодно находится в одной со мной комнате — не могу!

...Печально, что и теперь Прохор сидит за дверью, тщетно ожидая, когда у хозяина пробудится вдохновение. А тот только и может, что играть чужие вещи. Чигринский сыграл кусок Моцарта, кусок Вагнера и какую-то сонату, автора которой начисто забыл.

— Прошка! — крикнул он. — Кто это написал?

— Шопен, — глухо донеслось из-за двери.

Клавиши нежно взвыли на разные голоса. Чигринский бросил играть и уронил руки на клавиатуру, а голову опустил на руки.

— Дмитрий Иванович...

Прохор тотчас же, как по волшебству, материализовался рядом с ним.

— Уйди, — глухо бросил композитор, не поднимая глаз.

— Дмитрий Иванович... Может, чайку?

Прохор не знал, зачем он это ляпнул. Но вот его хозяин поднял голову, и выражение лица у него было такое, что бывший регент попятился.

— Все бесполезно, — тусклым, каким-то обреченным голосом промолвил Чигринский. — Я не могу больше сочинять. Понимаешь? Не могу.

В комнате повисло молчание. Чигринский убрал руки с клавиш, которые протестующе загремели, но тут же умолкли.

— Может, вам, того, жениться? — несмело предложил Прохор. — Заведете семью, деток...

Вероятно, это было самое необычное утешение из всех возможных. Чигринский в первое мгновение так изумился, что даже разозлиться не успел.

— При чем тут это? — начал он заводиться. — Понимаешь, внутри меня больше нет музыки! Я кончился, я труп! На кой черт мне жениться и заводить семью? Что это изменит?

— Не знаю, — вздохнул Прохор, подходя ближе. — А может, вам поехать в Европу? Путешествие, смена обстановки...

Чигринский скривился. По правде говоря, он терпеть не мог перемещаться куда бы то ни было. Его раздражали железные дороги, сутолока на вокзалах, несносные попутчики, обмен денег, карманные воришки и прочие прелести, которые подстерегают путешественников. И он вовсе не был уверен, что конечная цель путешествия — какой-нибудь швейцарский водопад или парижская авеню — стоят этих мучений. Если уж на то пошло, то и водопад, и Париж можно без всяких треволнений посмотреть на фотографиях, и вовсе не обязательно куда-то для этого ехать...

— Нет, — решительно промолвил композитор. — Дело вовсе не в обстановке. Если бы это было

так, я бы просто перебрался в другой дом, и дело
с концом.

Прохор задумался.

— Может быть, вы из-за Алексея Ивановича так
расстроились? — предположил он, имея в виду болезнь поэта.

Однако для эгоиста Чигринского эта версия была в некотором роде не менее сногсшибательна,
чем предложение лечить отсутствие вдохновения
женитьбой.

— А Алешка тут каким боком? — пожал он плечами. — В конце концов, болен он, а не я...

Он набил трубку и снова закурил. Минуты текли
в молчании.

— Что же теперь будет, Дмитрий Иванович? —
очень тихо спросил Прохор.

— А пес его знает, — устало ответил Чигринский.

Он выколотил трубку и, не удержавшись, заговорил снова:

— Как отрезало, понимаешь, как отрезало! За
что? Почему? Не могу понять. То ли я уже истра-
тил все, что мне причиталось... талант, понимаешь,
одному дается чайной ложкой, а другому — черпай
не вычерпаешь... Может, я делал что-то не так... балетов не писал, что ли? — Он уныло покачал своей большой растрепанной головой. — Мне раньше
музыка даже снилась, а теперь не снится. Засыпаю,
как падаю в колодец...

У Прохора на глазах выступили слезы. Он отвернулся.

ГЛАВА 4

ПОСЕТИТЕЛЬ

Если у вас болит живот, вы имеете полное право обратиться к врачу. Если болезнь затрагивает душу, на помощь обыкновенно зовут санитаров со смирительной рубашкой. Совершенно непонятно, однако, что делать, если вас покинуло вдохновение и вы больше не можете сочинять. Ясно только одно: никакие врачи тут не помогут, а средства вроде самоубийства чересчур радикальны и излечивают скорее от жизни, чем от ее тягот.

Да и сама потеря вдохновения, по правде говоря, вовсе не располагает к тому, чтобы откровенничать о ней с кем бы то ни было. Если бы Чигринский проигрался в пух и прах (как в удалые гусарские годы), если бы его оставила розовощекая Оленька, если бы молния ударила в него средь бела дня на Невском проспекте, он всегда бы нашел, с кем обсудить случившееся, и скорее всего не без пользы для себя. Но кому — исключая, само собой, верного Прохора — он мог признаться в том, что вдохновение бросило его, как любовница, которой он смертельно наскучил?

Музыкальным критикам, которые все как один — хоть и в разной степени — терпеть его не могли, потому что он прославился не по-российски быстро, легко и совершенно без их поддержки, не говоря уже об одобрении? Собратьям, многие из которых вообще отказывались признавать в нем композитора? Друзьям, которых у него почти не было, потому что он полжизни провел в армии, а когда занялся музыкой, то круг его интересов резко изменился, и он просто вырос из своих знакомств, как другие люди вырастают из детской одежды?

И уж конечно, Дмитрий Иванович меньше всего хотел признаваться очаровательной Оленьке Верейской, даме своего сердца, что он исписался, совсем как какой-нибудь газетчик самого жалкого пошиба. Что она тогда будет о нем думать, в самом деле?

Тоскуя, Чигринский блуждал по бильярдной, до которой Прохор еще не успел добраться, потому что тут не было ни пыльных бархатных портьер, ни севрского фарфора, зато имелись старый бильярд и коллекция трубок, а на стенах висели холодно поблескивающие клинки. Собственно говоря, это была скорее курительная комната, чем бильярдная, потому что Дмитрий Иванович любил по вечерам посидеть здесь в одиночестве и выкурить трубочку-другую, размышляя обо всем и ни о чем. Бильярд же просто остался от старого хозяина.

Чувствуя себя куда более скверно, чем тогда, когда он, будучи еще гусаром, перепил скобелевского коктейля (кто не знает, это убийственная смесь водки с портером), глубоко недовольный собой, миром и своим положением в этом мире, Чигринский даже обрадовался, когда в передней затрещал звонок.

— Прошка! Кто там? — закричал композитор.

Судя по выражению лица Прохора, который появился на пороге, посетитель был им определен в ту категорию, с представителями которой хозяину ни в коем случае не следовало иметь дела.

— Господин Арапов, Модест Трофимович. — Слуга выдержал крохотную паузу. — Не думаю, что вам стоит его принимать.

— Почему это мне не стоит его принимать, а? — с любопытством спросил Чигринский. — Он что, прокурор или жандарм?

— Студент, — ответил Прохор с интонацией, которая заставляла подозревать в неведомом Арапове самое худшее.

— Проси, — заключил композитор и двинулся в парадную гостиную.

— Дмитрий Иванович, халат!.. — застонал бедный Прохор.

...Когда Арапов, не знающий, куда деться от смущения, вошел в гостиную, он увидел знаменитого композитора в умопомрачительном шлафроке с золотыми кистями, которым мог позавидовать сам китайский император. Даже если бы на месте молодого студента оказался человек куда более наблюдательный, он все равно решил бы, что перед ним чрезвычайно самоуверенный господин, у которого в жизни нет ровным счетом никаких проблем.

— Прошу вас, садитесь, Матвей Тимофеевич, — пригласил хозяин дома после обычного обмена приветствиями. — Чем могу служить?

Не смея поправить собеседника, который переврал его имя-отчество, Арапов трепещущим голосом поблагодарил за оказанную ему честь и едва не сел мимо кресла, но, по счастью, в последнее мгновение успел-таки собраться и приземлился на его край.

«Пожалуй, тут возни минут на десять, — думал Чигринский, глядя на открытое молодое лицо гостя, которое несколько портила россыпь мелких прыщиков. — Он попросит меня подписать карточку для невесты, которая без ума от моей музыки, произнесет тысячу благодарностей, без которых я отлично могу обойтись, и мы расстанемся, чтобы никогда больше не встретиться».

— Простите, сударь, но я даже не знаю, с чего начать, — признался Арапов, застенчиво глядя на Чигринского сквозь очки. — Когда шел сюда, в голове была целая речь, а как только переступил ваш порог... — Он поперхнулся конфузливым смешком.

— Смелее, молодой человек, смелее! — подбодрил его Чигринский. — Как говорится, смелость города берет...

«Начни уж прямо с того, что я гений, и не забудь прибавить, что твоя невеста — образчик всех мыслимых и немыслимых совершенств и что ты едва можешь дождаться окончания учебы, чтобы на ней жениться»[1], — помыслил циничный композитор.

— Я очень люблю ваши песни, — выдавил из себя молодой человек. — Особенно те, которые на слова Нередина... В газетах писали о его болезни... я полагаю, это будет большая утрата для российской словесности, если Алексей Иванович умрет...

— Пока еще до этого далеко, — сказал Чигринский стальным голосом. Бог весть почему, но ему не нравился оборот, который принимал разговор.

---

[1] Студентам в Российской империи жениться запрещалось.

— Значит, он выздоравливает?.. — Молодой человек распрямился в кресле, и Чигринскому даже показалось, что он слегка разочарован.

— Ну, Михаил Сергеевич, чахотка все же такая болезнь, которая за неделю не лечится... Доктора говорят, у него хорошие шансы, но выздоровление может затянуться...

— А! Да, конечно, — с облегчением заметил Арапов. — Просто... просто... Понимаете, Дмитрий Иванович, дело в том, что я сам... некоторым образом... то есть... Одним словом, я тоже сочиняю стихи, — сказал он и гордо поправил очки.

Чигринский закоченел.

Ох! Ну что ему стоило послушаться прозорливого Прохора и не пускать странного гостя на порог...

— И вы... — молвил композитор угасшим голосом.

— Да, я хотел взять на себя смелость рекомендовать вам некоторые из моих... моих вещиц... Я знаю, что вы мастерски перелагаете на музыку любые произведения, Дмитрий Иванович... и мне показалось, что мои стихи...

И он уже залез в карман, подлец, и достал исписанную убористым почерком толстую тетрадь.

— Значит, вы пишете стихи? — мрачно спросил Чигринский, исподлобья косясь на гостя.

— Да.

— А почему не прозу?

Арапов удивленно взглянул на композитора.

— Почему не прозу? Почему... почему... Любопытный вопрос! Потому что проза... понимаете... проза жизни... нечто низменное, да? В конце концов, прозой может писать любой, в то время как поэзия...

— Нет, — отрезал Чигринский. — Не любой. — Однако он был достаточно светским человеком, чтобы все же выдавить из себя подобие любезной улыбки. — Значит, стихи... Н-да-с. И много стихов вы напечатали, милостивый государь?

Арапов как-то замялся, и два розовых пятна проступили на его щеках.

— По правде говоря... В наше время...

Больше он ничего не сумел сказать и поднял на Чигринского умоляющий взор. Но скрестивший руки на груди композитор был неумолим, и так же неумолим (почудилось Арапову) был лоснящийся рояль, к которому прислонился хозяин.

— Да-с? — мягко спросил Чигринский.

— Начинающему очень трудно напечататься, — пробормотал Арапов, пряча глаза. — Редакторы в журналах печатают только своих знакомых... и издатели тоже... В наши дни человеку, который чувствует в груди жар поэзии, пробиться сквозь эти косные ряды почти невозможно... невероятно сложно... Я знаю, о чем говорю, потому что столько раз пытался...

И, решив, что он достаточно высказался, посетитель раскрыл тетрадь и откашлялся.

— Стихотворение первое. «К морю».

...Тут Чигринский понял, что ему придется или убить студента прямо здесь, на месте, или покориться своей участи. В первом случае, разумеется, придется отвечать по всей строгости закона, во втором — страдать молча, причем неизвестно, сколько времени, потому что тетрадь была чертовски толстой и за первым стихотворением неизбежно должны последовать второе, третье и сто третье.

«Господи, — в смятении подумал Чигринский, — и чем я только провинился?..»

Тоскуя, он уставился на стену, потом на кисть от пояса, затем принялся вертеть ее, стал вертеть и вторую кисть, причем в противоположном направлении, но все было бесполезно — подвывающим голосом, по последней поэтической моде, юный непризнанный гений продолжал читать свои стихи.

> В мире безбрежном и бесконечном
> Нет ничего мне дороже тебя.
> Куда б ни занес тебя ветер беспечный,
> Не забывай никогда меня.

По правде говоря, Чигринский крепился долго — до пятого стихотворения, озаглавленного «Прекрасной», — но сейчас он просто не выдержал.

— Простите, Иван Ильич, но «тебя» и «меня» не рифмуются, — сухо заметил он.

Модест Трофимович Арапов поднял глаза на собеседника, и в лице его мелькнуло — да, Чигринский готов был в этом поклясться — нечто вроде снисхождения к композитору, который, даром что без пяти минут гений, ну ничегошеньки не понимал в современной поэзии.

— Рифмуются, — с восхитительной самоуверенностью объявил стихотворец.

— Не рифмуются. — Чигринский стиснул челюсти, на скулах его ходуном заходили желваки.

— Милостивый государь, — уже сердито промолвил студент, — если даже сам Пушкин в «Евгении Онегине» не стесняется рифмовать «колеи» и «земли...»

— Так то Пушкин, — отвечал безжалостный ретроград Чигринский. — Он срифмует корову и полено, с него станется.

— Но...

— Потому что он Пушкин, и обставит он все так, что это действительно будет восприниматься как рифма. А «тебя» и «меня» — не рифма.

В светлых глазах студента вспыхнула совершенно отчетливая злоба.

— Позвольте вам заметить, что Пушкин давно умер, — еле сдерживаясь, проговорил он. — Поэзия с тех пор шагнула далеко вперед!

— Может быть, и шагнула, — гнул свое упрямый Чигринский, — но «тебя» и «меня» все равно не рифма.

— Так что же мне писать? — слегка растерявшись, молвил студент.

— Не знаю. Вы же называете себя поэтом, а не я. И зачем у вас «безбрежный» и «бесконечный» в одной строке? Это синонимы, и одного слова тут вполне достаточно.

Арапов открыл рот.

— Сино...

— Они означают одно и то же. Зачем два раза повторять?

— Как — зачем? — изумился Арапов. — Но... затем, что... потому...

Больше ничего вразумительного он вымолвить не смог.

— И что это за беспечный ветер, который носит героиню? — добил его Чигринский. — Как он ее носит? Где? Она попала в ураган? Или героиня в данном случае — какой-нибудь обрывок бумаги, который действительно может унести ветром? Я, простите, совершенно не понимаю...

В гостиной воцарилось молчание. Студент был бледен и, кривя рот, смотрел в угол. Наконец гость выпрямился и закрыл тетрадь.

— Вам неинтересно то, что я пишу? — спросил он очень тихо.

— Простите, Максим Трофимович, — отозвался Чигринский, почти угадав, — но нет.

— У меня есть и другие стихи, — с надеждой прошептал студент.

— Я в этом не сомневаюсь, — вежливо ответил композитор, — но они меня не заинтересуют. — Он подумал, что бы такое сказать, чтобы утешить совершенно раздавленного молодого человека, и добавил: — И потом, я больше не буду писать песен.

— Почему? — удивился студент.

— Так. — Чигринский сделал неопределенный жест. — Не хочется.

Медленно, словно на ногах у него висели многофунтовые гири, Арапов стал подниматься с места. Но у него оставался еще один вопрос, который жег ему губы — и душу.

— Вы считаете, что я... что у меня... словом, что я недостаточно хорошо пишу?

— Я думаю, что вы славный молодой человек, — ответил композитор, которому теперь было немного неловко из-за того, что он так жестоко обошелся

45

с иллюзиями своего посетителя. — В мире много замечательных вещей и помимо сочинения стихов. Любовь, например...

— Поэтому мои стихи никто не хотел брать, — задумчиво проговорил Арапов, не слушая его. — Ах, боже мой...

Его лицо исказилось гримасой отчаяния. Он сделал несколько шагов к двери, но потом, словно вспомнив что-то, повернулся.

— Простите... Я совсем забыл... Моя мама в восторге от вашей музыки... Она мечтала, чтобы я подарил ей на именины вашу карточку... с подписью...

— А, да, конечно, — сказал композитор, успокаиваясь. — Как зовут вашу матушку?

И самым красивым из своих почерков (который все равно чем-то походил на бегло записанные ноты) вывел на фотографии: «На добрую память Марии Владимировне Араповой. Дм. Чигринский».

ГЛАВА 5

НЕЗАПЕРТАЯ ДВЕРЬ

Так как впоследствии Дмитрию Ивановичу пришлось вспоминать этот день до мелочей, оказалось, что после ухода Арапова он пытался вздремнуть на диване до обеда (не вышло), взял газеты и стал читать их (убил примерно час), после чего снял с полки первый попавшийся роман и честно попытался забыться приключениями какого-то Аркадия Эрастовича, у которого было необыкновенно красивое лицо, невероятно доброе сердце и который на протяжении трехсот страниц совершал все мыслимые и немыслимые глупости. Приключения не увлекли Чигринского, потому что он с первых же страниц понял, что Аркадий Эрастович окажется незаконным сыном миллионера Халютина, который то и дело без особой надобности возникал в сюжете, и счастливо сочетается браком с княжной Коромысловой, которая тоже была образцом совершенства. С горя Чигринский прочитал последние страницы, потом вернулся к середине и тут заметил второстепенного персонажа, уморительного щеголя Плюкина, который тоже имел какие-то намерения в отношении княжны, но предпочитал вздыхать по ней издали. Плюкин блуждал по главам, то появляясь, то исчезая и всякий раз производя совершенно комическое впечатление, так что Чигринский уже не мог дождаться, когда автор на время забудет о своих совершенных героях и вновь вспомнит о Плюкине, его забавной тросточке и его попугае по кличке Абрикос, который изрекал мудрые истины, но всякий раз совершенно не к месту и так, что Дмитрий Иванович едва не падал с дивана от хохота. И хотя книга была написана невозможным слогом и чуть ли не на каждой странице какая-нибудь красавица «заламывала свои белые руки» и луна «изливала мечтательный свет на княжеский сад», Чигринский закрыл ее с чувством, похожим на сожаление.

Он пообедал и стал блуждать по комнатам как тень, решительно не зная, чем занять себя и что вообще теперь делать. Внизу, в кухне, Мавра гремела посудой, за окном то и дело проезжали экипажи, напоминая, что жизнь не кончилась, а продолжается, нравится ему это или нет. Не выдержав бесцельного времяпрепровождения, Чигринский отправил Оленьке записку, что заглянет к ней сегодня вечером, и стал собираться.

— Я к Ольге Николаевне, — сказал он Прохору, когда тот вернулся и сообщил, что послание доставлено благополучно. — Когда вернусь, не знаю.

Снаружи во всей своей красе стояла петербургская весна, то есть такое время года, которое было названо весной согласно календарю, а на самом деле представляло собой нечто вроде гримасы зимы, которая решила напоследок хорошенько побаловать столичных жителей своим вниманием. У солнца, впрочем, как будто прорезалась совесть, и оно пару раз показалось между туч; но петербургское солнце скромно, так что ожидать от него щедрости было бы совершенно неразумно.

Отказавшись от извозчика, Дмитрий Иванович двинулся пешком. В витрине музыкального магазина была выставлена его фотография, и изображенный на ней субъект выглядел так по-гусарски нахально, что композитор, проходя мимо, укоризненно покачал головой.

«Ох уж эти фотографы! Впрочем, тогда я только закончил писать цикл романсов, познакомился с Оленькой, и все так удачно сошлось... А теперь черт знает что... не пишется, не сочиняется... Неписец!

В самом деле, — продолжал он мысленно, подходя к кондитерскому магазину, — когда пишется — писец, когда не пишется — неписец... не путать с песцом, это совсем другой зверь...»

Он зашел в кондитерскую, купил торт и фунт конфет и велел доставить их на квартиру к Оленьке, после чего направился во французский винный магазин.

Оленька любила сладчайший, янтарного оттенка сотерн, и композитор заказал две бутылки этого дорогого вина, велев отправить его опять-таки к ней на квартиру.

Когда он вышел из магазина, солнце, очевидно, позабыв стыдливость, все-таки засияло в полную силу, и, когда композитор на мгновение повернул голову, ему показалось, что он видит в конце улицы смутно знакомое лицо. Но человек, отступив, быстро скрылся за углом, а Чигринский тотчас же забыл о нем.

По пути ему попался ювелирный магазин, и Дмитрий Иванович, повинуясь минутной прихоти, заглянул туда.

— Что вам угодно, сударь? Вы ищете подарок для дамы? — с надеждой спросил приказчик, видя, как Чигринский рассматривает украшения.

— Гм... я так, собственно... — неопределенно отвечал Чигринский, и тут ему на глаза попались обручальные кольца, кокетливо поблескивающие под стеклом.

«А может быть, в самом деле жениться? — внезапно подумал он. — Почему бы и нет, в конце концов... 38 лет, пора уж и остепениться...»

Но тут в мозгу его ожил другой голос, который Дмитрий Иванович помнил и не любил, потому что этот голос слишком хорошо знал его, и потому, что он всегда оказывался прав. Голос, о котором идет речь, когда-то нашептывал композитору, что из его службы в армии не выйдет ничего путного, потому что армию он в глубине души не переносит, хоть и кажется для нее рожденным; и именно голос некогда подстрекал его бросить все, понимаете, все, и поставить жизнь на одну карту — музыкальную.

«Тебе 38 лет, ну и что? Подумаешь, важное дело... И зачем тебе жениться? Брак — это значит обязательства, причем серьезные... то есть такие, к которым ты совершенно не готов. Ведь не готов же? Не говоря уже о том, что прелестная Оленька никак не подходит на роль жены...»

«Это я буду решать, кто подходит, а кто нет», — попытался Чигринский возразить голосу.

«Неужели? А ты знаешь, сколько любовников было у Оленьки до тебя, хотя она никогда о них не упоминает? И вообще... охота тебе становиться посмешищем, если ваша совместная жизнь вдруг не заладится?»

Хозяин магазина, который уже некоторое время рассматривал Чигринского, подошел к нему и взглядом отослал приказчика.

— Чем могу служить, Дмитрий Иванович? Если вы замыслили жениться, лучше колец, чем у нас, вы не найдете...

— Э... — пробормотал в замешательстве Чигринский, — в сущности... То есть ничего определенного... Я только смотрю...

Пора, пожалуй, уходить отсюда, помыслил он. Не то не успеет он опомниться, как ему всучат обручальные кольца, и тогда уж волей-неволей придется делать предложение.

— Любая дама будет рада такому подарку, — промолвил хозяин многозначительно. — Вот, смотрите...

Чигринский облился холодным потом и объяснил, что он не знает... не помнит размера Оленьки... то есть...

— Ради вас мы согласны заменить кольцо, если оно не подойдет, — с готовностью ответил его собеседник. — Это такая честь, Дмитрий Иванович... Моя супруга и ее матушка в восторге от ваших песен!

Тут Чигринский вспомнил о незаменимом военном маневре, именуемом бегством с поля боя и, пробормотав на прощание, что он обязательно будет иметь в виду, благодарит хозяина от души и зайдет как-нибудь в другой раз, скрылся.

Чтобы немного успокоиться, он отклонился от своего маршрута и вышел на набережную Невы. Река несла множество белых холодных льдин, которые покачивались в темной воде. В былые времена одно это зрелище навело бы Чигринского на мысль о музыке, но теперь он не ощущал ничего, кроме пустоты, отдающей отчаянием и тоской.

— Дмитрий Иванович!

И тут его снова узнали, на него набросилась стайка румяных гимназисток, требуя немедленно сказать, когда появятся его новые вещи — когда Нередин вернется в Россию — правда ли, что он за границей влюбился в какую-то даму и оттого не хочет приезжать, — и подсовывая для подписи тетрадки и фотографические карточки.

Чувствуя себя безнадежным обманщиком и вяло улыбаясь, Чигринский криво расписался подсунутым ему пером. «Почему меня все это не радует? — спросил он себя. — Ведь ясно, что любой другой за такое внимание отдал бы... душу бы отдал, наверное...»

Учуяв недозволенное скопление народа в публичном месте, неподалеку тотчас же материализовался городовой в шинели и с шашкой на боку, но увидел Чигринского, узнал композитора, заулыбался и даже козырнул ему, как бывшему военному.

Когда Чигринский вырвался от гимназисток, терпеливо ответив на все их вопросы, шел уже шестой час, и композитор ускорил шаг.

— Ольга Николаевна дома? — спросил он у швейцара, который отворил ему дверь.

Чигринский знал, что Оленька всегда была дома, что не могло случиться такого, чтобы он назначил ей свидание, а она отлучилась куда-то; и все же, приезжая к ней, он никак не мог удержаться от этого лишнего, в сущности, вопроса.

— Дома-с, — отвечал важный седоусый швейцар, которого звали Тихон.

Чигринский поднялся по мраморной лестнице, устланной мягким ковром. Навстречу ему спускался Вахрамеев, редактор известной газеты, любовница которого также жила в этом доме, и мужчины приподняли шляпы, приветствуя друг друга.

Позже Дмитрий Иванович уверял, что почему-то вид Вахрамеева ему не понравился, и будто бы он даже ощутил нечто вроде скверного предчувствия. Однако на самом деле в то мгновение Чигринскому было забавно, что представительный Вахрамеев, который в прессе всегда выступал за крепость семейных уз и нерушимость брака, крадется по лестнице, как кот, а его раскормленная кокотка (как уверяла Оленька, а значит, это было правдой) обманывает редактора с лакеем, едва блюститель уз скрывается за дверью.

Итак, Дмитрий Иванович поднялся в бельэтаж, подошел к двери Оленьки и дернул звонок. Никто ему не открыл. Он позвонил еще сильнее, толкнул дверь — и тут только заметил, что она не заперта.

«Ах, озорница! Ну конечно, раз я предупредил ее о своем приходе, она решила сделать мне сюрприз...»

Улыбаясь во весь рот, Чигринский вошел и на цыпочках двинулся вперед.

Он нашел Оленьку в гостиной, в большом кресле. Конфеты и торт из кондитерской лежали на столе, и там же янтарно и загадочно поблескивали бутылки сотерна. При появлении композитора молодая женщина не пошевелилась и не издала ни звука.

Приблизившись к ней, Чигринский увидел рукоятку ножа, торчащую у Оленьки из груди, и красное пятно, расплывшееся по розовому платью. Глаза Оленьки были широко раскрыты, но в них не отражалось ничего.

ГЛАВА 6

СТРАХ И ТРЕПЕТ

Как уже упоминалось, Чигринский был человек военный, то есть привычный к виду ран и к смерти. Однако гибель молодой женщины в этой кокетливой, дышащей духами квартире, посреди мирного города, произвела на него такое впечатление, что он был вынужден сесть, держа в руке свою шапку.

Убита! зарезана! средь бела дня! Господи, что ж это такое делается?..

Он был ошеломлен и чувствовал страшное, ни с чем не сравнимое опустошение. Раз только он приподнялся, чтобы звать на помощь, но ему показалось стыдно кричать караул — ему, взрослому человеку, бывшему гусару. И он бессильно опустился обратно на диван.

Часы пробили, и, поглядев на них, Дмитрий Иванович машинально отметил, что было без четверти шесть. В квартире царила тишина, и он вспомнил, что Оленька, обладавшая поразительным талантом не ладить с любой прислугой, которая к ней нанималась, недавно рассчитала очередную горничную. Об этом ему сегодня рассказал Прохор, относивший записку.

«Надо звать... кого звать? Швейцара, пусть он вызовет полицию... Чудовищно... просто чудовищно... Кто мог ее убить? За что?»

Пересилив себя, он поднялся с места (ноги словно налились свинцом) и, подойдя к Оленьке, потрогал запястье. Оно было еще теплое, и Дмитрия Ивановича передернуло. Однако он не уловил ничего, даже отдаленно похожего на пульс.

«Сказать Тихону... Он распорядится...»

Однако в этот раз Дмитрий Иванович не дошел до двери. Он вернулся обратно и сел на стул в углу, подальше от убитой.

Чигринский и сам не понимал, чего он ждет, но в его мозгу шла напряженная работа. Взять хотя бы нашумевшее дело генеральши Громовой, размышлял он. Вместе с генеральшей были убиты еще две женщины, состоявшие при ней кем-то вроде приживалок. И кого с ходу обвинили в убийстве? Правильно: горничную, которая нашла тела.

Положим, он, Чигринский, не горничная и в случае чего сумеет за себя постоять, но факт остается фактом: мертвую Оленьку обнаружил именно он. Бог его знает, кто будет вести следствие, но что, если Чигринскому попадется какой-нибудь тупоумный служака, который станет подозревать композитора?

Нет, нет, мысленно вскрикнул он, это невозможно! Я не убивал ее!

Конечно, Чигринский *знает*, что не убивал; но как ему доказать свою невиновность? Да и потом, разве мало случаев, когда любовники ссорились и один из них после этого убивал другого...

Ссорился ли он с Оленькой? Конечно нет, если не считать их препирательств из-за денег (он давал любовнице все, но она, как все женщины, хотела еще больше) или, например, из-за того, что он не посвящал ей свои произведения. Но это же глупо, милостивые государи, из-за этого не убивают!

И тут в воздухе перед Чигринским соткался кто-то донельзя противный, инквизиторского вида, в мундире и пенсне. И бедный композитор услышал гнусавый, слегка растягивающий слова голос:

— Как знать, как знать... А не было ли у вас с покойной иных ссор? Часто ли вы встречались? Как познакомились? А ну-ка, поведайте-ка нам все подробности вашего романа, а мы, так уж и быть, решим, виновны вы или нет...

Чигринский махнул рукой, отбиваясь от удушающего кошмара, и в отчаянии заметался по комнате.

Влип! Попался, голубчик, угодил в историю... историю с убийством, черт подери! И не так уж важно теперь, сочтут его виновным или нет — важно то, что его наверняка будут подозревать, копаться в подробностях его жизни, вызывать на допросы... и вот тут-то ему сполна придется заплатить за свою славу, за то, что он известен и гимназистки на улицах просят у него автографы. Дай только этим полицейским волю, они душу из него вытрясут, и все строго по закону, с соблюдением всех формальностей...

Да что там полиция, ведь такое дело — убийство любовницы знаменитого композитора — не пройдет мимо газетчиков, и они в своих листках понапишут такого, что волосы дыбом встанут... Накинутся на него и заклюют, зарежут писчими перьями, черт бы побрал этих борзописцев! Кого он, к примеру, только что видел на лестнице? Да Вахрамеева же! Узнает о случившемся Вахрамеев, почует простор его продажная репортерская душонка, и насочиняет он про моральные устои и их отсутствие, нагонит тысячи строк... а ведь что для редактора удачная тема, для него, Чигринского, — потеря репутации и медленная смерть. Его и так не любят коллеги — слишком легко он всего добился — и не любят критики, к мнению которых он никогда не прислушивался; зато теперь ему все припомнят. Набросятся всем скопом и будут пинать на все лады — что он, не знает людей, что ли? И старик отец, которого он видит от силы раз в год, должен будет читать все помои, которые выплескивают на его сына... это он-то, который (Чигринский точно знал), несмотря на их размолвку, не пропускал ни одного отзыва о его музыке и тайком завел для них особый альбом. Отец, который так им гордится, хоть и скорее умрет, чем признается в этом; а теперь, когда его сына произведут в подозреваемые, а то и в убийцы — что будет с ним? Ведь не выдержит старик, вытащит из ящика стола пистолет и пустит себе пулю в лоб... Кто тогда останется у Чигринского? Кроме отца, у него нет ни одной близкой души на свете; мать давно умерла, ни братьев, ни сестер у него нет, а всякие дальние родственники, которых он не признал бы в лицо при встрече, конечно, не в счет...

Дмитрий Иванович в изнеможении потер лоб. Бежать, бежать, пока не поздно; скрыться и никому не говорить, что вместо очаровательной Оленьки он застал в квартире ее окровавленный труп.

Так-то оно так, но все равно тело обнаружат, рано или поздно; кто последним был в квартире? — Чигринский, его видел швейцар внизу и еще один человек на лестнице. И тогда его молчание будет выглядеть еще более подозрительно...

«А если ее не найдут?» — спросил спасительный голос.

«Как это?» — удивился Чигринский.

«Обыкновенно. Обнаружат тело в другом месте, дорогие вещи исчезли... и никого рядом. Неосторожная ночная прогулка, убийство с целью ограбления... и при чем тут ты? Разумеется, ни при чем...»

Чигринскому стало жарко, так что пришлось сбросить пальто и шарф. Однако тут же он заметил, что ладони у него озябли, и потер их.

Вывезти труп, как-нибудь убедив Тихона, что он уехал с живой Оленькой... вот это, пожалуй, было бы дело.

Он посмотрел на неподвижную, безучастную Оленьку и почувствовал укол совести. «Я поступаю бесчестно», — сказал он себе. Но на одной чаше весов лежало мертвое тело женщины, которую он любил, а на другой — его собственная жизнь. И, как это обычно бывает, живое перевесило мертвое.

В голове у него еще не было четкого плана, но он вышел в переднюю, взял оттуда лучшую Оленькину шубу и, заметив, что так и не закрыл за собой входную дверь, с некоторым даже испугом запер ее и задвинул засов. После этого он вспомнил о двери черного хода, но запирать ее не было нужды: она и так была закрыта.

Вернувшись в гостиную, Чигринский на всякий случай задернул шторы и стал одевать Оленьку. У него возникло жуткое ощущение, что он возится с громоздкой и страшно неудобной куклой, но он был полон решимости дойти до конца. Нож, торчащий из раны, мешал застегнуть шубу, и Чигринскому пришлось его вытащить.

Он начал застегивать шубу, потом спохватился, принес шарф, шляпку, перчатки и ботинки. Шляпка никак не хотела сидеть на голове, и Чигринский вспомнил, что нужны эти... как их... шляпные булавки.

Дмитрий Иванович заметался, выдвигая и задвигая ящики, в которых лежали пустые и початые флаконы духов, письма, разные мелочи женского туалета, и наконец нашел одну булавку рядом с подвязками. Теперь Оленька была совершенно готова, и он усадил ее обратно в кресло.

В следующее мгновение он услышал, как звонят в дверь.

— Ольга Николаевна! Ольга Николаевна, это я, Соня...

Чигринский застыл на месте. Впрочем, застыл — не вполне точное слово; вернее будет сказать, что Дмитрий Иванович обратился в столп невыразимого ужаса.

Почему он так испугался прихода бывшей горничной Оленьки? Он ведь никого не убивал, он не был преступником. Конечно, его можно упрекнуть в том, что он пожелал окончательно отвести от себя подозрения и приготовился запутать следствие, но...

— Ольга Николаевна! Вы же обещали мне заплатить сегодня...

— Чего шумишь, не одна она... Завтра приходи.

С огромным облегчением Чигринский узнал голос Тихона, который, очевидно, тоже поднялся с горничной на второй этаж.

— Да отпусти ты меня! — зашипела Соня на швейцара, который, судя по всему, намеревался ее увести. — Она обещала мне заплатить и рекомендацию дать...

— Ох, не вовремя ты пришла... Я же сказал: не до тебя ей. Завтра приходи.

— Тихон, отпусти руку!

— Не бузите, Софья Андреевна... Идем! Ни к чему господам мешать...

Чувствуя себя совершенно разбитым, Чигринский на цыпочках сделал несколько шагов к портьере и, выглянув наружу, через минуту увидел, как уходит по улице Соня и как возмущенно колышется на ее шляпке одинокое перо.

«А если бы у нее был ключ? А если бы... если бы...» Додумывать Дмитрий Иванович не стал. Повернувшись, он увидел на столе нож, который вытащил из жертвы, и содрогнулся.

«Это нельзя здесь оставлять...» И он сунул нож в свой карман — лишь бы не видеть больше окровавленное лезвие.

Осмотрев комнату, он убедился в том, что больше ничто в ней не указывало на свершившееся убийство. Внезапно ему в голову пришла еще одна мысль, и он бросился искать шкатулку, в которой Оленька хранила свои драгоценности.

Все они оказались на месте, что немало озадачило композитора. Он мог еще представить себе, что Оленьку убили из-за денег, но теперь все запуталось окончательно. Некто проник в квартиру и нанес один удар ножом спереди. Убийца видел, как Оленька умирала... Руки Чигринского сжались в кулаки.

Как преступник вошел сюда? Она сама впустила его? Или он сумел пробраться без ее ведома? Входная дверь не была заперта, когда появился Чигринский. Значит ли это, что у убийцы не было ни ключа, ни отмычки и Оленька его впустила? Почему? Почему?

И самый главный вопрос, который не давал Чигринскому покоя: за что кто-то мог так возненавидеть Оленьку, чтобы лишить ее жизни? Она была беззаботна, как птичка, и никому не причиняла зла. Так за что же ей такая несправедливая, страшная смерть?

Какое-то время Чигринский боролся с искушением вызвать Тихона и все ему рассказать, чтобы швейцар позвал полицию. Но после всего, что Дмитрий Иванович уже натворил, это было равносильно самоубийству. Любой полицейский в данных обстоятельствах счел бы его преступником, который пытался замести следы и лишь по малодушию остановился на полпути. Но как раз малодушия он не мог себе позволить.

Убедившись, что на улице уже темно, Чигринский собрался с духом и спустился вниз.

— Ольга Николаевна хочет ехать кататься... Я проиграл ей пари и пообещал носить ее сегодня на руках. Позови извозчика и скажи мне... скажи нам, когда он будет...

Тихон поглядел на барина и, отметив, что тот красен и волнуется, пришел к вполне естественному выводу, что Чигринский выпил больше сотерна, чем следует. Если бы речь шла о ком-то другом, то швейцар про себя немедля зачислил бы его в тайные пьяницы, но композитору почему-то Тихон согласен был простить и не такое. Взять хотя бы Вахрамеева — по мысли швейцара, редактор был всего лишь непристойный господинчик, а Дмитрий Иванович, тоже содержавший любовницу, к которой время от времени наведывался, почему-то воспринимался как широкой души человек, и только. Бывают же счастливцы, которым все сходит с рук — точно так же, как и несчастливцы, которым на роду написано расплачиваться не только за свои грехи, но и за чужие. В данный момент Чигринский некоторым образом сочетал в себе обе эти ипостаси, хотя швейцар, разумеется, даже не подозревал об этом.

— Не извольте беспокоиться, Дмитрий Иванович, — почтительно сказал Тихон. — Будет сделано...

Через несколько минут композитор вынес закутанную Оленьку на руках, усадил в экипаж и сам устроился рядом с ней.

— Куда ехать-то, барин? — спросил кучер.

И действительно, куда, растерялся Чигринский. Может быть, к Неве и...

Нет, осадил себя Дмитрий Иванович, этого он делать не будет. Никогда! Бросать Оленьку в воду, чтобы потом опознавать раздувшийся, страшный, обезображенный труп... Он содрогнулся. Голова мертвой сползла ему на плечо.

— Мы просто катаемся, — проговорил он, пытаясь сохранить спокойствие и поправляя тело, сидящее с ним рядом. — Поехали за город. И... и, пожалуйста, не очень гони, мы никуда не спешим...

Извозчик кивнул, и лошадь медленно затрусила по улице. Оленька стала сползать с сиденья. Чигринский подхватил ее и вернул обратно. В свете фонарей он видел ее лицо — мертвенно-бледное, с чертами, которые уже начала обтягивать кожа, отчего они стали казаться заострившимися.

«Danse macabre... voyage macab»[1], — мелькнуло у него в голове.

Дмитрий Иванович чувствовал себя ужасно, и не только потому, что разыгрывал это нелепое представление и сидел в одном экипаже с мертвецом. Ужаснее всего было то, что он, который в глубине души считал себя как-никак человеком чести, не мог отделаться от мысли, что поступает как последний подлец, трус и даже хуже того. То обстоятельство, что на свой поступок он решился вовсе не от хорошей жизни, ничуть не утешало композитора.

Они ехали по Английской набережной, мимо аристократических особняков, застывших в сумерках. И тут фортуна, сочтя, очевидно, что она и так слишком долго была благосклонна к Дмитрию Ивановичу, окончательно отвернулась от него.

Сначала он услышал громкий треск, потом его отшвырнуло куда-то в сторону, и экипаж, подпрыгнув и завалившись набок, остановился.

— Ах ты!.. — ругался кучер. — Колесо!.. Ах, чтоб тебя!..

Одним словом, экипаж не выдержал езды по сокрушительной петербургской мостовой, и надо было выходить.

---

[1] Пляска смерти, путешествие трупа (*фр.*). Средневековая аллегория (обычно в живописи и скульптуре), когда процессия мертвецов (символизирующая смерть) увлекает за собой живых.

— Сколько я тебе должен? — мрачно спросил Чигринский, потирая ушибленное плечо.

— Да как же мне брать деньги-то с вас, барин? — жалобно проныл извозчик, но тут же сменил тон на деловой и деньги-таки взял.

Видя, как Чигринский выбирается из кареты, неся на руках бессильно обмякшее тело Оленьки, кучер невольно забеспокоился.

— Барин! Я ж не виноват... Столько ездил, и никогда никаких происшествий...

— Это не по твоей вине, — быстро ответил Чигринский, отступая. — Даме еще до того стало плохо, я несу ее к доктору...

— Сударь!

Ехавшая за ними карета подкатила к тротуару. Дверца отворилась.

— Если ваша спутница пострадала, я могу отвезти вас к врачу.

Голос, доносившийся из глубины экипажа, был женский, молодой, но — как показалось Чигринскому — самоуверенный до того, что казался неприятным.

— Благодарю вас, сударыня, — отозвался он, — но мы справимся сами...

— Вы обронили шляпку, — заметила дама, выходя из кареты.

Чигринский покосился туда, куда глядела незнакомка, и увидел, что точно, шляпка Оленьки вместе со злополучной булавкой свалилась на тротуар.

Позже Дмитрий Иванович уверял, что он не успел даже пошевельнуться, а дама, от которой пахло сиренью, уже подобрала шляпку убитой и подошла к нему. В сумерках он видел, как загадочно блестят глаза незнакомки. Неожиданно выражение ее лица переменилось.

— Да она мертвая, — нахмурилась дама, видя застывшие черты Оленьки, и строго поглядела на закоченевшего от ужаса композитора. — Может быть, вы объясните, милостивый государь, что происходит?

И тут Чигринский понял, что он погиб.

ГЛАВА 7

ОСОБНЯК НА АНГЛИЙСКОЙ НАБЕРЕЖНОЙ

Когда Дмитрию Ивановичу случалось раньше читать о том, какое облегчение испытывают преступники, когда их наконец хватают, он только пожимал плечами и вообще был склонен считать подобные утверждения нелепой авторской фантазией. Однако теперь, когда его самого, можно сказать, поймали, он не мог не признаться себе, что ему действительно стало легче от сознания, что все кончилось и ему больше не надо скрываться, прятать тело и дрожать, что его изобличат. О том же, что вслед за этим должно будет начаться, он благоразумно предпочитал не думать.

— Кто вы, собственно, такой? — спросила дама, хмурясь. В руках у нее по-прежнему была кокетливая Оленькина шляпка с криво воткнутой в нее булавкой.

— Я Дмитрий Иванович Чигринский, — с достоинством промолвил композитор, поудобнее перехватывая труп в тяжелой шубе, который так и норовил сползти на землю.

— Чигринский? — Дама приподняла брови, и он уловил в ее глазах искорку интереса. — Так вы тот самый музыкант?

Для человека с трупом на руках, находящегося в центре столицы и в какой-нибудь сотне шагов от ближайшего городового, момент был крайне неподходящим для того, чтобы возмущаться, однако Чигринский все равно возмутился.

— Я не музыкант, сударыня, — обидчиво заметил он. — Я композитор.

— Вот как?

Только женщины умеют вложить в короткую реплику столько оттенков — легкую иронию, помноженную на сознание своего собственного превосходства, снисходительность, любопытство и бог весть что еще. Но Чигринскому было достаточно иронии и снисходительности, чтобы он надулся.

— И куда же вы, господин композитор, спешили со своей ношей?

Дмитрий Иванович открыл рот, чтобы ответить, и тут в голову ему пришла спасительная мысль.

— Я спешил к врачу, — объявил он.

Оленькина рука свесилась почти до самой земли.

— Боюсь, врач вашей спутнице больше не понадобится, — спокойно заметила дама.

— Может быть, вы и правы. Но я надеялся... хотел думать... — Он сбился и замолчал.

Дама смерила его взглядом, который заставил Чигринского поежиться. С реки дул холодный ветер.

— Мой дом совсем недалеко, — сказала наконец незнакомка. — Предлагаю продолжить наш разговор там.

За минуту до этого Чигринский был уверен, что их разговор закончится вызовом полиции, и нельзя сказать, что предложение дамы, от которой веяло сиренью, его не обрадовало.

— Как вам будет угодно, сударыня.

Его собеседница подошла к кучеру своей кареты и вполголоса отдала какое-то приказание.

— Вот мой дом, — сказала незнакомка, оборачиваясь к Чигринскому и показывая на стоящий неподалеку особняк. — Полагаю, мы можем обойтись без экипажа.

Дмитрий Иванович понял, что дама, несмотря на его заверения, продолжает держать его на подозрении и вызвалась сопровождать Чигринского, чтобы он не ускользнул. Кроме того, даже петербургские сумерки не помешали ему заметить, что она хорошенькая, одета дорого и со вкусом — сочетание, в России встречающееся не так уж часто, — и молода. Но хотя в незнакомке не было ровным счетом ничего отталкивающего и до сих пор она вела себя вовсе не враждебно, Чигринский вынужден был признать, что она ему не по душе.

Впоследствии Дмитрий Иванович пытался вспомнить, как он вошел в особняк, держа на руках мертвую женщину, и как на него смотрели слуги, которых наверняка должно было озадачить все происходящее. Но он запомнил только небольшую гостиную на первом этаже, где был мраморный камин, а напротив него — кожаный диван.

— Кладите ее сюда, — распорядилась дама.

Незнакомка была уже без пальто, без шляпы и без перчаток, но где и как она избавилась от них — Чигринский не помнил, хоть убей. Шляпка Оленьки лежала на столе, но, как она оказалась там, он тоже не помнил. Иногда ему казалось, что он двигается, как во сне, и все происходящее — тоже сон.

— ...Александру Богдановичу...

Он опомнился. Незнакомка о чем-то негромко говорила со слугой у дверей.

— Госпожа баронесса, а если... — Слуга оглянулся на Чигринского и понизил голос.

— Скажете, что дело чрезвычайной важности. — Дама немного подумала и добавила: — И по его части. Разумеется, сейчас уже поздно, и если он не сможет приехать сегодня, то пусть заглянет ко мне завтра утром.

Слуга удалился, а дама повернулась к измученному композитору. Она и в самом деле оказалась молода — лет 25 или 27, — белокура, и в ее золотисто-карих глазах вспыхивали искорки, которые наверняка заинтриговали бы любого другого мужчину, если, конечно, его не угораздило быть замешанным в убийстве, пусть даже он его не совершал.

— Кто она? — спросила золотоглазая дама, кивая на тело на диване.

— Верейская Ольга Николаевна. Из мещан, бывшая актриса... — Чигринский поймал себя на том, что стал пересказывать какие-то глупые паспортные данные, рассердился и замолчал.

Золотоглазая подошла к Оленьке, расстегнула шубу, развязала шарф и стала внимательно рассматривать рану. Чигринский терпеливо ждал, когда хозяйка завизжит и упадет от увиденного в обморок, но так и не дождался.

— Ее ударили чем-то вроде ножа, — констатировала его странная собеседница. — Где он?

Дмитрий Иванович спохватился, достал нож из кармана и подал ей.

— Почему вы вытащили его из раны? — строго спросила незнакомка.

— Потому что иначе я не мог застегнуть шубу, — честно ответил Чигринский.

— Допустим, — протянула незнакомка, кладя нож на стол. Она вытащила из шкафа белое покрывало и набросила его на тело. Чигринский стоял, переминаясь с ноги на ногу, и гадал про себя, что будет дальше.

— А теперь расскажите с самого начала, что именно произошло, — велела незнакомка, садясь в кресло. — Может быть, вам удобнее все же снять пальто?

Дмитрий Иванович спохватился, засуетился, стал стаскивать верхнюю одежду, но рука застряла в рукаве, и если бы не горничная, которую хозяйка вызвала звонком, он бы еще долго кружил на месте, пытаясь избавиться от пальто.

— Итак? — промолвила незнакомка, когда горничная удалилась, унося с собой пальто и шляпу Чигринского. — Я жду объяснений, Дмитрий Иванович, так что присаживайтесь и рассказывайте.

Чигринский немного подумал, потом, опустив ненужные, как ему казалось, подробности, стал рассказывать, как он решил навестить Оленьку, как заказывал вино и сладости, как приехал к ней и в каком виде ее нашел.

— Где это произошло?

— Фонарный переулок, дом Ниндорф.

— И вы решили везти ее к врачу?

— Именно так.

— Вы не поняли, что она мертва?

Чигринский насупился.

— Я надеялся, что врач сможет сделать что-нибудь... Боюсь, я плохо соображал тогда. Мне казалось, что этого просто не может быть...

Дама поглядела на него и с жалостью (как показалось Чигринскому) покачала головой.

— В доме Ниндорф живет доктор Матвеев, он принимает пациентов круглые сутки, — веско уронила она.

Чигринский открыл рот, но понял, что ему никак не изобрести причины, по которой он повез Оленьку куда-то за тридевять земель, в то время как врач находился совсем рядом, и рот закрыл.

— Это вы ее убили? — спокойно и даже как-то буднично осведомилась дама.

Дмитрий Иванович аж на месте подпрыгнул от такого предположения.

— Конечно нет! — возмутился он. — Когда я пришел, она уже была мертва.

— Но вы все-таки решили спрятать тело, чтобы подозрение не пало на вас?

Тут Чигринский окончательно убедился, что попал в какой-то кошмарный сон, и от души пожалел, что его не арестовали настоящие полицейские, а допрашивала в гостиной аристократического особняка неизвестная дама, не имеющая на то никаких прав.

— Я не понимаю, сударыня... — пробурчал он. — И мне даже как-то странно слышать... Я композитор, я пишу музыку, а такое отвратительное происшествие... убийство беззащитной женщины... — Он гадливо передернул плечами.

— Но вы же не вызвали ни швейцара, ни дворника[1], а попытались увезти тело с места преступления, — тихо заметила дама. — Что еще я должна подумать?

Чигринский не знал, что она могла подумать, но лично он думал, что дама замужем за каким-нибудь следователем или сыщиком и набралась от мужа таких навыков, которые обычной женщине совершенно ни к чему.

— Почему я должен был куда-то увозить тело? — с неудовольствием спросил он. — Я же говорю вам... простите, не знаю, как вас зовут... Так вот, я говорю, что не убивал ее.

— Меня зовут Амалия Константиновна Корф, — отозвалась его собеседница. — А увезти ее вы пытались, потому что решили, что это убийство дурно отразится на вашей репутации. Не так ли?

И тут Чигринский рассердился по-настоящему.

— Да при чем тут репутация, плевать я хотел на то, что обо мне говорят! Если бы речь шла только обо мне...

Он осекся, но было уже поздно.

---

[1] Дворник во времена Российской империи нередко был лицом, тесно связанным с полицией, и следил за общим порядком в доме.

— Значит, вы все же испугались, — уронила Амалия, зорко наблюдая за ним. — И решили принять меры.

— Я не испугался, — воинственно бросил Чигринский. — Вам легко рассуждать, потому что вы не понимаете, что я тогда испытал. В убийстве генеральши Громовой обвинили человека, который нашел тело. Я виноват только в том, что нашел Оленьку мертвой. Что еще я мог сделать? Позвать полицию? Я бы первым оказался у них на подозрении, а газетная свора смешала бы меня с грязью!

— Нет, если бы вы сразу же бросились вниз, к швейцару или дворнику, и сказали им, чтобы они вызвали полицию, — парировала Амалия. — Конечно, вас бы допросили, но для того, чтобы кого-то начать подозревать, нужны веские основания. Швейцар бы наверняка вспомнил, что вы поднялись наверх веселый и довольный, предвкушая приятный вечер, а вниз сбежали очень быстро, то есть у вас фактически не было времени на то, чтобы совершить убийство. Не исключено, что врач бы установил точное время смерти жертвы и выяснил, что вы вообще находитесь вне подозрений. И расследование пошло бы по обычному пути, то есть стали бы искать другого человека, который имел мотив и возможность убить вашу знакомую. А теперь из-за ваших необдуманных действий все запуталось, и любой полицейский имеет все основания подозревать прежде всего вас.

Чигринский вздохнул. Он и сам понимал, что все запуталось, причем безнадежно, и не видел, как ему выбраться из сложившейся ситуации.

— Вы правы, я должен был сразу же позвать Тихона, — признался он. — Но все это случилось так внезапно... Я никак не ожидал. Просто я думал... думал о...

Еще не хватало, одернул себя Дмитрий Иванович, чтобы он жаловался на «неписец» этой красивой, спокойной и неприятной даме.

...Да и разве она способна понять его?

ГЛАВА 8

ЗЕЛЕНЫЙ РОЯЛЬ

— Кто ее убил? — спросила Амалия. — Точнее, кто мог это сделать?

Чигринский пожал плечами.

— Я уже думал об этом. Боюсь, я не знаю никого, кто мог бы желать Оленьке... Ольге Николаевне зла. У меня как-то в голове не укладывается...

— Вы хорошо ее знали?

— Разумеется.

— И у нее совсем не было врагов?

— Мне о них ничего не известно.

— Значит, вы знали ее плохо, — улыбнулась Амалия. Чем дальше, тем меньше она нравилась Чигринскому, хотя до сих пор он решительно ни в чем не мог ее упрекнуть. — Хорошо, а как насчет вас?

— Меня? — изумился композитор.

— Если принять вашу гипотезу, что у Ольги Николаевны врагов не было, ее могли убить, чтобы бросить тень на вас. Разве не так?

— Сударыня, — проворчал Чигринский, — я прошу прощения, но это... Это черт знает что такое!

— Сладости и вино были на столе, — задумчиво проговорила Амалия, и глаза ее сверкнули. — Значит, когда их доставили, она была еще жива. В пользу этого говорит и тот факт, что, когда вы пришли, тело было еще теплым. Получается, она была убита незадолго до вашего прихода и человеком, которого, судя по всему, не опасалась. Вы предупредили ее запиской, что будете, так что кто-то мог узнать об этом и использовать против вас. Ценные вещи, как вы говорите, остались на месте... Ну же, Дмитрий Иванович! Вы ведь именно потому хотели увезти тело, что решили, что вас могут обвинить... а что, если так и было задумано? Так что насчет ваших врагов, милостивый государь?

— У меня нет врагов, — сухо сказал Чигринский. — Во всяком случае, таких, которые убивают женщин, — добавил он с обидой, неизвестно к кому относящейся.

— Позвольте вам не поверить, милостивый государь, — живо возразила его собеседница. — Вы человек известный...

Чигринский попытался принять вид скромного гения, который тут совершенно ни при чем, и это почти ему удалось.

— И талантливый...

Щеки Дмитрия Ивановича слегка порозовели, он молча наклонил голову.

— Хотя вот уже который раз манкируете моим приглашением на благотворительный вечер, — задумчиво продолжала хозяйка. — Но это к делу не относится. Суть вот в чем: невозможно в России быть известным и к тому же талантливым... и не иметь врагов.

— Вы, кажется, что-то имеете против России, сударыня? — сипло осведомился композитор.

— Ну что вы, что вы, — отозвалась Амалия Корф таким тоном, что Чигринский сразу же насторожился. — Общеизвестно, что в нашей стране никто никому не завидует и все только рады чужим успехам. Не так ли?

...И тут Чигринский понял, почему Амалия ему так не нравится и, судя по всему, не понравится уже никогда. Дмитрий Иванович любил женщин, похожих на цветы, таких, как Оленька; он мог потакать их милым капризам, служить им, даже поклоняться, но ему не по душе были женщины, которые пытались вести себя с ним на равных, — все равно как если бы цветок возомнил о себе, что он нечто большее, и принялся с ходу строчить романы и рассуждать об избирательном праве. Положим, ничего подобного он за Амалией не заметил, но ее ирония, непривычная для женщины, сбивала его с толку. Кроме того, Чигринского не покидало ощущение, что баронесса Корф (он наконец-то вспомнил ее титул и вспомнил, где совсем недавно встречал это имя) попросту не воспринимает его всерьез.

— Если кто-то из коллег и завидует мне, — довольно сухо промолвил он, — то не настолько, чтобы... чтобы решиться на убийство. Это, простите, совершенно невозможно.

— Тогда как вы сами объясняете случившееся? — с любопытством спросила его собеседница.

— Я думаю, что я чего-то не знаю, — мрачно ответил композитор. — Что-то должно было случиться, что привело к этому страшному событию. Но у меня нет никакой догадки, даже намека на догадку. — Он пожал плечами. — Ее враги? Я допускаю, что она кому-то могла не нравиться, но... не до такой же степени! Мои враги? Это просто смешно. Ограбление? Но все вещи были на месте, так что эта версия тоже отпадает...

— Если только вы не спугнули грабителя, — отозвалась Амалия.

— И куда же он делся? Когда я поднимался наверх, то увидел только Вахрамеева. — Чигринский покосился на невозмутимое лицо Амалии и все же рискнул закончить фразу: — ...А он, хоть и жулик, совершенно по другой части.

— Допустим, а грабитель не мог скрыться через черный ход?

— Нет. Я проверял — дверь черного хода была закрыта на засов. Отпереть ее снаружи невозможно.

— Вы говорили, на входной двери тоже засов? Ну что ж... Получается, что Ольга Николаевна сама впустила своего убийцу. Когда он сделал свое черное дело, как пишут в романах, то ушел тем же путем. Кстати, — задумчиво добавила Амалия, — ему вовсе не обязательно было встречаться с вами на лестнице. Он мог и подняться наверх, к примеру. Впрочем, я надеюсь, что нам удастся прояснить этот момент.

— Нам? — только и мог вымолвить пораженный Чигринский.

— Ну, это я так, — неопределенно отозвалась его собеседница. — Разумеется, вести следствие буду я, но без помощников в таком деле не обойтись. — Она изучающе посмотрела на Чигринского. — Вы уверены, что никому в целом свете не могло прийти в голову убить Ольгу Николаевну?

— Никому, — твердо ответил композитор.

— Вот и прекрасно, — неизвестно к чему заключила Амалия. Она оглянулась на позолоченные часы, мирно тикавшие на камине. — Сегодня вы ночуете у меня. Впрочем, может быть, вы хотели бы прежде поужинать?

Тут Дмитрий Иванович возмутился.

— Сударыня, — пропыхтел он, — простите, если я буду слишком откровенен, но... с какой стати мне оставаться у вас?

— А вы не догадываетесь? — осведомилась его собеседница, и в ее глазах вспыхнули и погасли золотые искры.

— Нет, — честно ответил Чигринский.

— Если целью неизвестного преступника было бросить тень на вас, замарать и уничтожить во мнении общества, — будничным тоном объяснила Амалия, — то теперь, после убийства, он вряд ли остановится. Следовательно, вам, мне и вообще всем на свете будет спокойнее, если вы будете находиться здесь, среди людей, которые не допустят, чтобы с вами случилось что-то плохое.

— Госпожа баронесса, — в некотором изумлении промолвил Чигринский, — как бывший офицер... нет, не то... словом, я не позволю себя запугать... и вообще я никого не боюсь. Вы понимаете меня?

— Я понимаю, что вам грозит опасность, — спокойно отозвалась Амалия, — и не только вам, но и, возможно, другим людям, которые с вами связаны. Впрочем, я предлагаю поговорить об этом завтра, когда кое-что прояснится.

Чигринский насупился.

— А что, собственно, может проясниться? — проворчал он.

— К примеру, кто входил в дом незадолго до вас, — сказала Амалия. — И другие моменты. А пока на вашем месте я бы как следует поразмыслила, нет ли у вас серьезного врага. Такие господа не возникают из ниоткуда — должна быть причина. — Она поднялась с места. — Так что насчет ужина, Дмитрий Иванович? Мне распорядиться?

— Вы слишком добры, госпожа баронесса, — пробурчал композитор. — Но я... По правде говоря, я слишком устал, и вообще... — Он оглянулся на фигуру на диване, накрытую белым покрывалом. — Боюсь, после сегодняшнего мне кусок не полезет в горло.

— Тогда идемте, — сказала Амалия. — Я покажу вам вашу комнату.

Внутренне бунтуя, Дмитрий Иванович последовал за баронессой — а что, собственно говоря, ему еще оставалось делать?

Они поднялись на второй этаж, прошли по коридору (Чигринский на ходу сообразил, что его ведут в дальнее крыло дома) и внезапно оказались в просторной комнате с высоким потолком и с расписными светлыми панелями на стенах. Вдоль окон стояло множество экзотических растений, но вовсе не они привлекли внимание композитора и не они являлись причиной того, что он застыл на месте как вкопанный, не веря своим глазам.

Посреди комнаты стоял зеленый рояль.

Да, да, вы не ошиблись — именно зеленый, нежнейшего салатового оттенка, с резными ножками. Не черный, не коричневый, не белый — что Чигринский еще как-то мог понять — а зеленый, поймите, зеленый, как салат, и вдобавок расписанный крупными цветами. На боках красовались гирлянды желтых тюльпанов, роз и ромашек, на верхней деке — цветущие ветви вишни, сирень и нарциссы, на крышке, закрывающей клавиши — колокольчики и ирисы, и между всеми этими диковинными нарисованными букетами порхали бабочки.

Дмитрий Иванович был человек стойкий к ударам судьбы, и в этот день он мог выдержать даже состояние внутренней немоты, когда ему не удавалась ни одна музыкальная фраза, даже убийство любимой женщины, в которой он души не чаял, — но зеленый рояль его добил. С точки зрения композитора, было чистым издевательством превращать музыкальный инструмент в раскрашенную игрушку, чтобы она лучше гармонировала со стоящими неподалеку пальмами, и с этой минуты он окончательно уверился в том, что его спутница — человек непредсказуемый и опасный.

— Ваша комната будет рядом, — сказала Амалия. — На случай, если вам вздумается помузицировать...

Чигринский попытался себе представить, как он сядет за зеленый рояль, разрисованный цветочками, и содрогнулся.

— Здесь вы можете играть в любое время, — добавила радушная хозяйка. — Эта комната устроена так, что отсюда ничего не слышно, и вы никому не будете мешать.

Дмитрий Иванович поторопился пробормотать приличествующие случаю слова благодарности, но вид у него был настолько несчастный, что Амалия забеспокоилась и на всякий случай спросила, хорошо ли он себя чувствует и не нужен ли ему врач.

— Не беспокойтесь, госпожа баронесса, — кротко промолвил Чигринский. — Со мной все хорошо, благодарю вас.

Однако он все же выдохнул с облегчением, когда они оставили позади комнату с зеленым монстром и оказались в довольно милой спальне, обставленной мебелью красного дерева. И Чигринскому стало значительно лучше, когда он разглядел, что картина на стене тоже изображает море, как у него — впрочем, море в особняке на Английской набережной явно было нарисовано куда более опытным живописцем.

— Я вас оставлю, — сказала Амалия. — Если вам что-нибудь понадобится, зовите горничную. Звонок рядом с кроватью.

И она удалилась, оставив Дмитрия Ивановича в размышлениях, победитель он или пленник, повезло ему или он погиб окончательно из-за того, что этим вечером ему встретилась баронесса Корф. Впрочем, после зеленого рояля измученный композитор уже не ожидал от своей хозяйки ровным счетом ничего хорошего.

ГЛАВА 9

ЯВЛЕНИЕ ГИАЦИНТА

Ночь Чигринский провел неспокойно — то ему снилось, что он убегает от кого-то, то сам он, напротив, гнался за кем-то, кто был убийцей (во сне композитор точно знал это) и упорно отворачивал свое лицо, чтобы Дмитрий Иванович его не признал. Все испортил зеленый рояль, который вылетел откуда-то и стал путаться под ногами. Но в конце концов все устроилось, потому что Чигринский сел на рояль, и они полетели следом за преступником. Как это часто бывает во сне, тот, за кем они гнались, куда-то бесследно исчез. Рояль загремел клавишами, поверхность его пошла волнами, и Дмитрий Иванович проснулся в холодном поту.

Особняк спал, и всюду царила густая, плотная, как вата, тишина. Чигринский повернулся на кровати, вздохнул, закрыл глаза — и тотчас вспомнил все, что случилось вчера. Но по прошествии времени он обрел способность относиться к происшедшему более взвешенно и потому сейчас не ощутил ни ужаса, ни укола тоски.

Итак, кто-то убил Оленьку, и убил, как сказала баронесса Корф, чтобы бросить тень на него, Чигринского. Может такое быть? Конечно, может, хоть на первый взгляд и кажется неправдоподобным.

Далее, сама баронесса Корф по какой-то причине решила принять в Чигринском участие и пообещала провести собственное расследование. Это, положим, было совершенно невероятно, потому что такие вещи не случаются даже в романах, но если хозяйка решила его выгородить, то что именно она могла предпринять?

Чигринский раздумывал над этим до того, что у него даже начал ныть висок, но в конце концов пришел к выводу, что хозяйка позовет на помощь неизвестного ему Александра Богдановича и передаст следствие в его руки, предварительно поставив условием, чтобы композитора не беспокоили. Дмитрий Иванович был слишком русским человеком, чтобы не знать, что законы Российской империи как бы действительны для всех, но в то же время для некоторых людей, стоящих высоко, они вовсе не обязательны. Коротко говоря, его самого вполне устроило бы, если бы закон закрыл глаза на его действия и оставил его в покое — тем более что сам он, как отлично известно читателю, никого не убивал.

Однако Чигринский понимал, что заступничество баронессы Корф вряд ли окажется бескорыстным, что чем-нибудь за него придется платить, и неприязненно предвидел, что теперь ему придется до скончания своих дней по первому требованию хозяйки ездить на благотворительные концерты и играть для людей, которые в музыке смыслят не больше, чем сам он, допустим, в разведении репы.

«А впрочем, — невесело помыслил Дмитрий Иванович, — что мне остается, если я больше не смогу сочинять? Перейду уж тогда в исполнители, в самом деле...»

Но от этой мысли ему стало совсем нехорошо. Он заворочался в постели, то закрывая, то открывая глаза, и наконец решил подняться, не зная сам хорошенько, для чего.

Зеркало на стене отразило одутловатую больную физиономию с поникшими усами и набрякшими веками. Чигринский скривился и вышел из спальни, совершенно позабыв про то, что подстерегает его снаружи.

Когда он увидел зеленый рояль, было уже поздно. Дмитрий Иванович чертыхнулся сквозь зубы, но отступать было некуда. Заложив руки за спину, он обошел рояль, с подозрением косясь на него, но инструмент вел себя так же, как и любой другой инструмент — не брыкался, не пытался лягнуть композитора и вообще тихо стоял на месте, размышляя о чем-то своем. На его боку в свете электрических ламп, которые зажег Чигринский, нежно блестели нарисованные бабочки.

«Вот чучело зеленое», — с досадой подумал Чигринский.

Обернувшись, он увидел в углу растение с жесткими темными листьями, на котором сидела целая россыпь бабочек. Когда заинтересованный композитор подошел ближе, они не взлетели и даже не сдвинулись с места. Присмотревшись, он понял, что это цветы, сидевшие на стеблях наподобие диковинных мотыльков.

Тут у Дмитрия Ивановича мелькнуло в голове, что дело нечисто и что он оказался в каком-то заколдованном месте, где рояли зеленые, а цветы похожи на бабочки. Самой странной, конечно, была хозяйка этого места, но Чигринский в тот момент не стал задерживаться на этой мысли.

Не устояв перед искушением, он подошел к роялю, поднял крышку и потрогал клавиши. Звук их поразил композитора — глубокий, полный и чистый. Несомненно, зеленый рояль был настроен превосходно — хоть сейчас садись и играй.

Внезапно Чигринский рассердился на себя, захлопнул крышку, выключил свет и удалился к себе, всем видом показывая, что он не поддастся соблазнам этого заколдованного чертога. Он рухнул в постель, закутался в одеяло и через несколько минут уже спал. Сны его, следовавшие один за другим, все были зеленые, как рояль.

В положенный срок петербургское утро крадущейся походкой пробралось в спальню, но Чигринский все еще спал. Он проснулся только тогда, когда возле его изголовья материализовалась застенчивая молодая женщина в белом фартуке поверх платья и в кружевной наколке на волосах.

— Дмитрий Иванович! Дмитрий Иванович!

Дмитрий Иванович сладко всхрапнул и повернулся на другой бок.

— Дмитрий Иванович! — Горничная подошла ближе и решилась тронуть его за плечо. — Дмитрий Иванович, там... там полиция.

Услышав это, прямо скажем, вовсе не магическое слово, Чигринский тотчас же открыл глаза.

— Что там? — спросил он с нескрываемым отвращением.

— Полицейский чиновник... И он спрашивает вас.

— Ахм, — промычал Чигринский, проведя рукой по лицу, и сразу же вспомнил все.

Рояль — Оленька — убийство — Амалия Корф! Ну конечно же!

— Скажи им, — хрипло промолвил он, — что я сейчас буду.

— Хорошо, Дмитрий Иванович. — И горничная растворилась в солнечном свете.

Да, думал Чигринский, одеваясь и приводя себя в порядок, все-таки чудес на свете не бывает. Сейчас полиция его арестует... (Он налил себе на шею холодной воды, чтобы окончательно проснуться, и свирепо потряс головой.) Значит, баронесса Корф переоценила свои силы. Ну что ж... По крайней мере, он больше никогда не увидит зеленый рояль.

Он прошел через музыкальную комнату, миновал коридор и увидел горничную, которая уже вернулась и поднималась по лестнице.

— Куда теперь? — спросил Чигринский. Только сейчас он сообразил, что в доме было множество комнат, а куда конкретно надо было идти, он не знал.

— Идите за мной, — сказала девушка.

...И через минуту Чигринский оказался в другой гостиной, которая оказалась больше, чем вчерашняя, и была обставлена светлой французской мебелью. Амалия сидела в кресле, а напротив нее с почтительным, но упрямым видом стоял молодой полицейский. До композитора донеслось окончание его фразы:

— ...тем не менее мы обязаны принимать к сведению все факты, госпожа баронесса...

— А, Дмитрий Иванович! — сказала Амалия с очаровательной веселостью, которой Чигринский за ней прежде не замечал, и протянула ему руку для поцелуя. — Вот, послушайте, что господин Леденцов мне только что рассказал... Поразительно, просто поразительно! Это Дмитрий Иванович Чигринский, — добавила она, представляя композитора, который смутно помыслил, что отлично обошелся бы без такого представления.

Молодой человек повернулся, и Чигринский увидел, что полицейский сыщик был весь какой-то пепельный. И волосы пепельные, и небольшие усы пепельные, и глаза пепельно-серые, с прищуром. Вид у сыщика был необыкновенно печальный, словно то, на что он успел насмотреться на службе, на всю жизнь отбило у него охоту радоваться. Впрочем, будь на месте Чигринского какая-нибудь барышня, она бы первым делом отметила ямочку на подбородке и непременно заключила бы, что молодой полицейский весьма недурен собой, а меланхолический вид только добавляет ему шарма.

— Господин Леденцов... э... — Амалия слегка запнулась.

— Гиацинт Христофорович, — поспешно подсказал пепельный.

— А почему Гиацинт? — брякнул Чигринский, не удержавшись.

Полицейский сделался еще печальнее.

— Вы что-то имеете против этого имени, сударь?

— Нет, что вы! К примеру, у нас в полку был врач по фамилии Пионов. Правда, пил он так, как цветы не пьют, и, гхм, вовсе не воду.

Он широко улыбнулся, показав крупные ровные зубы, и сел. По правде говоря, больше всего в это мгновение ему хотелось выкинуть полицейского чиновника в окно. (В глубине души Дмитрий Иванович никогда не переставал быть лихим гусаром.)

— Может быть, вы ознакомите Дмитрия Ивановича с целью вашего визита? — осведомилась Амалия.

— А что такое? — небрежно спросил композитор. — Неужели я вчера чего-нибудь натворил?

— Боюсь, что да, — промолвил полицейский. — По нашим сведениям, вчера вечером вы приехали на квартиру некой Ольги Верейской, убили ее, а тело перевезли сюда, чтобы замести следы. Согласно тем же сведениям, госпожа Верейская являлась вашей, э, близкой знакомой... очень близкой, так сказать.

Дмитрий Иванович похолодел. Получалось, что Амалия Корф была права: тот, кто убил Ольгу, сделал это, чтобы добраться до него, Чигринского. «Он следил за мной! — осенило композитора. — Следил, а когда понял, что его план может не сработать, известил полицию...»

— Это вздор какой-то... — промолвил он больным голосом.

— Тем не менее дворник соседнего дома, госпожа баронесса, запомнил, как вчера вечером господин, по описанию похожий на Дмитрия Ивановича, внес в парадную дверь какое-то тело, закутанное в шубу. — Гиацинт Христофорович сделал крохотную паузу. — И еще один момент. Куда бы она ни уезжала, Ольга Николаевна имела привычку всегда ночевать у себя дома. Так вот, ни вчера вечером, ни сегодня она не возвращалась.

И он чрезвычайно внимательно посмотрел в лицо хозяйке дома, которая, улыбаясь каким-то своим мыслям, играла с кистью от веера.

— Вы можете что-либо сообщить мне по этому поводу, милостивый государь? — учтиво осведомился Леденцов.

— Я думаю, что пора покончить с этими тайнами мадридского двора, — внезапно сказала Амалия, поднимаясь с места. — Благоволите следовать за мной, Гиацинт Христофорович.

И она двинулась к двери, воинственно помахивая веером.

«Что это с ней?» — с некоторым беспокойством подумал Чигринский.

Амалия дошла до дверей маленькой гостиной, куда накануне Дмитрий Иванович внес тело несчастной Оленьки и, не колеблясь, переступила порог.

Чигринский содрогнулся. Труп по-прежнему лежал на диване под белым покрывалом, но на этот раз... композитор навострил уши... Да, никакой ошибки быть не могло: из-под покрывала доносилось легкое похрапывание.

Тут волна ужаса накрыла Дмитрия Ивановича, так что он едва мог дышать. Но Амалия Константиновна, судя по всему, была дамой не робкого десятка. Решительно подойдя к дивану, она сдернула покрывало.

— Дядюшка Казимир!

И, обернувшись к присутствующим мужчинам:

— Позвольте представить — мой дядя Казимир Браницкий.

За ночь прелестная Оленька успела, судя по всему, основательно поменять форму. Теперь на ее месте лежал невысокий, кругленький и, судя по физиономии, вполне довольный собой господин лет сорока или около того. Он был полностью одет и даже не удосужился снять с ног ботинки. Кроме того, в отличие от Оленьки, дядюшка Казимир был жив, что и доказал, широко зевнув и попытавшись отнять у племянницы покрывало.

— Ну ей-богу, Амалия...

Он приоткрыл глаза, но решил, очевидно, что Чигринский и Леденцов не заслуживают его внимания, потому что попытался удобнее устроиться на диване и подложил ладонь под щеку.

— Вот это и есть, — безжалостно откомментировала Амалия, — то бездыханное тело, которое Дмитрий Иванович вчера вечером столь любезно доставил в мой дом.

...Нет, Гиацинт Христофорович не открыл рот, не остолбенел, не окаменел, не позеленел и даже не дрогнул. Однако, видя выражение его лица, вы могли бы подумать, что молодой сыщик закручинился еще больше, хотя прежде такое казалось совершенно невозможным.

— Протестую, — объявил дядюшка Казимир, не открывая глаз. — Меня не доставили, а привели.

— Внесли! — свирепо поправила его Амалия. — Потому что вы лыка не вязали!

— Я ничего не пил, — заплетающимся языком доложил дядюшка.

— О! И зачем я вас послушалась?

— Как зачем? — Дядюшка все-таки приоткрыл глаза и покосился на племянницу, которая готова была взорваться. — Ты просила, чтобы я привел господина Чигринского. Он все время отказывался у тебя играть, и я...

89

— Дядя!

— Ресторан Мишеля — отличное место, чтобы найти общий язык, — сообщил Казимир, поймав край покрывала и меланхолично пытаясь натянуть его на себя. — Не понимаю, чем ты недовольна. Ведь я привел господина Чигринского...

— Дя-дя!

— И он согласился у тебя играть, — промямлил дядюшка и, окончательно завладев покрывалом, закутался в него, как в кокон, и закрыл глаза.

Амалия в отчаянии развела руками и поглядела на Леденцова.

— Я хотела, чтобы Дмитрий Иванович сыграл у меня на благотворительном вечере, — объяснила она. — Дядя пообещал его привести, но у меня и в мыслях не было, что он исполнит мою просьбу таким образом.

Чигринский лихорадочно размышлял. По правде говоря, происходящее ему нравилось все меньше и меньше. Дядюшка производил впечатление редкостного плута, и Дмитрий Иванович невольно забеспокоился. «Черт побери, — мелькнуло у него в голове, — уж не угодил ли я в петербургскую Хитровку? Конечно, с виду не похоже на притон, но все же... все же...»

— Значит, вы оставили Ольгу Николаевну у Мишеля? — печально спросил Леденцов.

Чигринский непонимающе взглянул на него.

— Я не помню, — выдавил он из себя.

И в самом деле: если дядюшка лежал здесь, то куда же делось тело? Что хозяйка с ним сделала? При одной мысли об этом композитору стало не по себе.

— Вы хотите еще о чем-то спросить? — осведомилась Амалия у Леденцова. — На вашем месте я бы тщательнее все проверяла, прежде чем верить анонимным доносам.

Гиацинт Христофорович внимательно посмотрел на нее.

— Откуда вам известно, что к нам поступил анонимный донос? — мягко спросил он. — Сам я ничего подобного вам не говорил.

— Я лишь высказала предположение, — заметила Амалия, сверкнув глазами. — У такого известного человека должно быть достаточно недоброжелателей, а среди них попадаются люди с фантазией.

— Я полагаю, недоброжелатели есть у каждого, — парировал печальный Гиацинт. — Однако не о каждом нам докладывают, что он зарезал свою любовницу, и называют точные обстоятельства дела... Можете не сомневаться, госпожа баронесса: мы все проверим. Такая уж у нас работа.

Он поклонился и проследовал к выходу.

ГЛАВА 10

ГОНОРАР ИЗБАВИТЕЛЯ

— Между прочим, дядюшка, вы бы могли снять обувь перед тем, как забираться на диван, — с упреком в голосе сказала Амалия, когда шаги полицейского окончательно стихли за дверью.

Дядюшка Казимир открыл глаза, без всяких околичностей отшвырнул покрывало и сел. Тут только Чигринский разглядел, что покрывало было не такое, как вчера, а немного другого оттенка и с бахромой по бокам.

— Между прочим, — капризно объявил дядюшка, — я рисковал!

— Чем же?

— Я ввел полицию в заблуждение, — важно сказал Казимирчик. — С меня могут спросить... по всей строгости закона, вот!

— И чем же вы рисковали? Разве вы не были вчера в ресторане Мишеля?

— Был, — свесил голову Казимирчик. — Но домой я вернулся на своих ногах! — обидчиво прибавил он.

«Нет, он не мошенник, — думал Чигринский, которому довелось стать свидетелем столь необычного семейного препирательства. — Не мошенник, но... ничуть не лучше мошенника...»

— Скажи-ка мне лучше, с чего это дворнику графа Морского вздумалось на нас доносить? — спросила Амалия.

— Как — с чего? — пожал плечами Казимир. — Он подкатывал к нашей Маше, а она дала ему от ворот поворот.

— Дядя, вы просто клад, — вздохнула Амалия. — Честно говоря, я понятия об этом не имела.

— Разумеется, — с готовностью отвечал Казимирчик. — Ты у нас витаешь в высоких сферах, политика, государственные дела, а я человек маленький, поэтому мне горничные все рассказывают... — Он пригладил торчащие волосы и протянул руку. — Да, пока я не забыл: пятьсот рублей.

— Дядя! — возмутилась Амалия. — За что?

— За то, что я по твоей просьбе изображал тут пьяного, как какой-нибудь актер императорских театров, — отвечал дядюшка, не моргнув глазом. — Это, дорогая племянница, серьезная работа.

— Работа?

— Разумеется, и, как любая другая работа, должна быть оплачена, — объявил дядюшка, важно поднимая палец. — В конце концов, я не благотворительная организация, и вообще, трудиться безвозмездно не в моих привычках.

Амалия сердито покосилась на дядю.

— К твоему сведению, даже лучшие артисты получают только тысячу в месяц, — заметила она.

— А им приходится играть перед полицией? — вкрадчиво спросил Казимирчик. — К тому же я человек скромный, на славу Давыдова не претендую. Пятьсот рублей меня вполне устроят.

«Вот прохвост!» — в восхищении помыслил Чигринский.

Однако, к его удивлению, Амалия тотчас же отсчитала дяде деньги, шепнув ему на ухо по-польски:

— Вымогатель!

— Я всего лишь соблюдаю свой интерес, — хладнокровно возразил Казимирчик, пересчитывая купюры. — Гм, Амалия, а тут уголок надорван, не могла бы ты мне ее заменить?

— Ну уж нет, — твердо ответила племянница и повернулась к гостю. — Дмитрий Иванович, вы будете с нами завтракать?

С одной стороны, Чигринского так и подмывало откланяться и сбежать, с другой — он был не глуп и прекрасно понимал, что все отнюдь не кончилось, а только начинается. Поэтому Дмитрий Иванович без особых возражений позволил увлечь себя в столовую.

Однако кое-что его беспокоило, и он сказал Амалии:

— Я очень благодарен вам за все, что вы сделали для меня и продолжаете делать, но... Боюсь, ваша выдумка насчет ресторана Мишеля не сработает. Я не хожу туда, и в ресторане отлично об этом знают.

Амалия метнула на своего собеседника быстрый взгляд.

— Увы, мне пришлось действовать экспромтом, — призналась она. — Честно говоря, я не ожидала, что полиция окажется настолько расторопной... точнее, что некто уже сделает им заявление насчет вас. — Молодая женщина прищурилась. — Вы до сих пор не знаете, кто это может быть?

Чигринский покачал головой.

— Однако теперь я вижу, что вы были правы, — быстро добавил он. — У меня есть враг, и он не остановится ни перед чем, чтобы погубить меня. — Дмитрий Иванович наклонился к Амалии и понизил голос. — Скажите, госпожа баронесса, а куда вы дели тело?

— Его увезли, — хмуро ответила она.

— Куда?

— Для вскрытия.

Больше она не сказала ни слова, и Чигринский понял, что она не расположена об этом говорить.

За столом кроме него и Амалии оказалось еще трое человек: уже знакомый ему дядюшка Казимир, который явно пребывал в приподнятом настроении после того, как получил за свое представление столь внушительный гонорар, польская дама в темном парчовом платье, расшитом золотом, — дама из тех, о которых в книгах пишут «со следами былой красоты на лице» и прочее, и мальчик, похожий на Амалию, на которого она поглядывала с такой любовью, что Чигринский окончательно успокоился и перестал думать о том, что судьба забросила его в притон, где не боялись даже полиции и не останавливались перед откровенной ложью ее представителям.

Дама в парчовом платье, которую звали Аделаида Станиславовна, оказалась матерью Амалии. Собственно говоря, любая другая мать, утром обнаружившая в доме дочери мужчину, которого накануне там не было, имела полное право потребовать объяснений по этому поводу, но Аделаида Станиславовна приняла появление Чигринского как должное, словно он давно уже собирался у них поселиться, да все откладывал. Мало того, она осыпала его комплиментами и объявила, что в восторге от его музыки.

— Вот вы и попались, Дмитрий Иванович, — заметила Амалия. — Берегитесь, теперь вам придется переиграть моей матушке все, что вы когда-либо написали.

Мальчик, которого звали Михаил, почти все время молчал и косился на гостя, и по лицу ребенка композитор видел, что этот член семьи вовсе не в восторге от его появления. Поэтому Дмитрий Иванович завел с ним разговор и стал расспрашивать, кем он собирается стать, когда вырастет.

— Военным, — застенчиво сказал Михаил и, подумав, добавил: — Как папа.

— Тебе же нравится музыка, — заметила Амалия.

— Нет, — коротко ответил мальчик, — не нравится.

Чигринский понял, что в семье существует какая-то натянутость, и она, судя по всему, касалась отсутствующего здесь отца семейства. Решив немного оживить разговор, композитор заговорил о людях, которых знал, рассказал несколько анекдотов и среди прочего упомянул, что поэт Нередин собирается вскоре возвращаться на родину.

— Да, он мне писал, — кивнула Амалия. — Но я ему отсоветовала возвращаться. По-моему, ему не повредит еще немного поправить здоровье.

Чигринский взглянул на нее с удивлением: он не помнил, чтобы Алешка когда-нибудь упоминал при нем, что знаком с баронессой Корф. Впрочем, Нередин всегда был скрытен, особенно в том, что касалось отношений с женщинами.

И тут Дмитрию Ивановичу показалось, что он нашел решение вопроса, который мучил его со вчерашнего вечера. Вопрос этот состоял в том, с какой, в сущности, стати незнакомая дама так охотно взялась ему помогать, когда для нее самой это могло означать разве что крупные неприятности. Другое дело, если Амалия была любовницей Нередина и знала о его дружбе с Чигринским. Да, такой расклад вещей и впрямь объяснял очень многое...

После завтрака Амалия поглядела на часы и, недовольно хмурясь, поднялась в комнату с зеленым роялем, где стала осматривать стоящие там экзотические растения. Вскоре к ней присоединился и Чигринский.

— Я полагаю, — начал он, — что мне следует вас покинуть, чтобы не навлекать на вас новые неприятности...

— Неприятности? — Амалия пожала плечами. — Ничего еще не произошло. И, напротив, я полагаю, что как раз здесь вам угрожает наименьшая опасность.

Она оборвала два или три желтых листка и критически оглядела ветку, на которой сидели притворяющиеся мотыльками цветы.

— Что это? — спросил Чигринский.

— Орхидея. Алексей Иванович сейчас пытается переводить японских поэтов, хотя это довольно сложно. Так вот, один из них писал, что в жизни есть только три подлинных радости: наблюдать, как растут твои дети, любоваться закатом и смотреть, как распускаются орхидеи. По-моему, он был прав.

Дмитрий Иванович не знал, что можно на это ответить. Попробуй возразить — и будешь выглядеть полным олухом, а если не возражать — получится, что ты вроде как соглашаешься. Недобрым словом помянув про себя пристрастие Алешки ко всяким экзотическим поэтам, Чигринский в сердцах решил, что в жизни не станет читать ни одного японского стихотворения. Его возмущало, когда ему пытались навязывать что бы то ни было, да еще покушались выдавать это за высшую степень мудрости.

— Если хотите, можете что-нибудь сыграть, — предложила Амалия, кивая на рояль.

— О! — вырвалось у композитора. — Нет, благодарю вас...

Он с опозданием сообразил, что сморозил глупость, и покраснел.

— Вам не нравится зеленый рояль? — спросила Амалия, улыбаясь.

— Если вам угодно, — решился Чигринский, — я не понимаю, зачем... и вообще... Вот.

— Понимаю, он выглядит странно, — заметила Амалия. — Но я его не покупала. Когда мы перебрались в этот дом, моя мать захотела обставить несколько комнат по своему вкусу. Она объездила, кажется, все столичные магазины, и ей ничего не приглянулось. В конце концов она купила этот рояль, хотя и она, и я редко подходим к инструменту. Мне она объяснила, что увидела рояль в магазине на Невском, что он стоял в зале так сиротливо, что ей просто стало его жаль. Никто не хотел его брать, понимаете? Изначально его заказали для княжны Трубецкой, но она не дождалась его, умерла от воспаления легких. И рояль простоял в магазине несколько лет, но он выглядел настолько необычно, что хозяева уже отчаялись его продать. Как видите, к зеленому роялю не подходит никакая мебель, поэтому пришлось отдельно заказывать стулья с бледно-зеленой обивкой, зеленый ковер, подбирать на стены панели с цветами, а их пришлось везти из Франции... одним словом, масса хлопот. В этой комнате много света, поэтому мы поставили сюда разные растения, которым нужно солнце, и между собой зовем комнату «оранжереей». — Амалия улыбнулась. — Вот так зеленый рояль оказался в оранжерее, но это не значит, что на нем нельзя играть. Инструмент в полном порядке, просто он выглядит так... фантастично.

Чигринский подумал, что это очень в духе баронессы Корф — дать приют вещи, от которой все отказываются. Или человеку, которого не сегодня завтра могут обвинить в убийстве.

— Вы очень добры, — проговорил он, волнуясь. И, неловко взяв руку своей собеседницы, поцеловал ее.

— О, — сказала Амалия, поворачивая голову к дверям, — а вот и Александр Богданович!

ГЛАВА 11

СОМНЕНИЯ, ПРЕДПОЛОЖЕНИЯ И ПОДОЗРЕНИЯ

Признаться, Чигринский уже почти позабыл про этого бесфамильного Александра Богдановича, который должен будет облегчить его участь. Но, едва увидев в дверях молодого человека, который вряд ли был намного старше Амалии, Дмитрий Иванович изумился, а затем возмутился. Одно дело — зависеть от баронессы Корф, которая коротко знакома с твоим другом Нерединым и явно руководствуется самыми лучшими побуждениями, и другое дело — от какого-то штатского типа, который смотрит на тебя, насупившись и так, словно уже записал тебя в виновные.

— Александр Богданович Зимородков, чиновник особых поручений при сыскной полиции... Дмитрий Иванович Чигринский, композитор.

— Наслышан, наслышан о вас, милостивый государь, — приветливо сказал Зимородков, пожимая руку Чигринского своей очень крепкой и широкой ладонью. Но Дмитрий Иванович, обладавший абсолютным музыкальным слухом, фальшь ловил не то что с полузвука, а можно сказать, вообще на лету. И Чигринский сразу же понял, что этот немного неуклюжий, плечистый молодой человек, мало похожий на чиновника и еще меньше — на сыщика, не рад ему и вовсе не рад обстоятельствам, из-за которых он оказался в особняке баронессы Корф.

— Полагаю, мы можем поговорить здесь, — заметила Амалия. — Или, может быть, лучше перейти в другую гостиную?

Александр Богданович покосился на зеленый рояль, на цветы-бабочки и дал понять, что обстановка его вполне устраивает. Амалия села в кресло, чиновник устроился напротив нее, а Чигринский опустился на небольшой, обитый зеленым шелком диван, подальше от рояля.

— Я полагаю, правильнее всего будет начать с самого начала, — заметила Амалия и сжато, но не упуская ни единой детали, рассказала, как она вчера столкнулась с Чигринским недалеко от своего особняка, а также обо всем, что последовало за их встречей.

Зимородков слушал и кивал, но что-то в выражении его лица Чигринскому подспудно не нравилось, и он поймал себя на том, что молодой чиновник внушает ему живейшую антипатию. Это была не антипатия момента, как вчера с Амалией; Чигринский предчувствовал, что неприязнь его к Зимород-

кову окажется куда более стойкой и скорее всего
взаимной.

— А что вы имеете рассказать? — обратился к нему Александр Богданович.

Уже этот старомодный оборот — «имеете рассказать» — Чигринскому не понравился, но он все же пересилил себя и поведал о вчерашнем дне, пытаясь подражать тону Амалии — говорить сжато, без ненужных отступлений, но в то же время не упуская ни единой ценной детали.

— Скверное дело, — уронил Зимородков, когда композитор закончил.

Ну разумеется, помыслил язвительный Чигринский, будь оно хорошее, кто бы тебя сюда позвал!

— Очень плохо, что вы сразу же не вызвали полицию, — добавил чиновник. — Это все осложняет.

И, сочтя, очевидно, что большего Чигринский не заслуживает, повернулся к Амалии.

— Итак, госпожа баронесса, чего вы, собственно, хотите?

— Расследования, — с некоторым удивлением ответила хозяйка дома. — Но с условием, чтобы сведения о нем не просочились в прессу. Точнее, о том, что в деле оказался замешан Дмитрий Иванович, — поправилась она.

Александр Богданович некоторое время молчал, но даже в его молчании Чигринскому чудилось неодобрение.

— Расследование, разумеется, будет проведено, — сказал он наконец. — Но...

— Но?

— Вы ставите меня в очень сложное положение, Амалия Константиновна, — с подобием улыбки промолвил чиновник. — Надеюсь, вы отдаете себе отчет в том, что ваши действия — равно как и ваши, милостивый государь, — противозаконны. — Чигринский побагровел. — Вам следовало посоветоваться со мной, госпожа баронесса, прежде чем отсылать тело на вскрытие от моего имени.

— Я *хотела* с вами посоветоваться, — мягко отозвалась Амалия. — Но вчера вы были заняты, а между тем я не могла оставлять тело в своем доме. Разумеется, я распорядилась отправить его... куда следует. И записку я написала от себя. Доктор Саблин достаточно меня знает, чтобы понимать, что я не стану беспокоить его по пустякам...

— Вы не имели права отправлять Саблину тело, равно как и записку, — с неудовольствием промолвил Зимородков. — Вы понимали, что он решит, будто мы с вами опять ведем совместное следствие, и не станет задавать вопросов. А в конечном итоге я могу оказаться в очень неприятной ситуации.

— Я не пыталась скрыть преступление, — холодно сказала Амалия, складывая веер. — Наоборот, я хочу, чтобы его расследовали и нашли убийцу. Но я против того, чтобы из-за этого расследования пострадал невиновный, конкретно — Дмитрий Иванович. Так понятно?

— Если он невиновен, — спокойно заметил Александр Богданович, — ему ничего не угрожает.

Ножки дивана, который оттолкнул вскочивший Чигринский, взвизгнули, скользнув по паркету.

— Милостивый государь! — сердито вскричал композитор.

— Встаньте на мою точку зрения, Дмитрий Иванович, — все так же спокойно продолжал чиновник. — Что я должен думать о человеке, который пытался увезти тело и скрыть следы преступления? Согласитесь по крайней мере, что у полиции есть веский повод вас подозревать.

— Я никого не убивал! — в запальчивости крикнул Чигринский.

— Для правосудия мало одного вашего утверждения. — Чем больше композитор выходил из себя, тем невозмутимее становился его собеседник. — Ему нужны доказательства.

— Господа, — вмешалась Амалия, — я убедительно попрошу вас не ссориться в моем доме... Благодарю вас.

Однако Чигринский не сдавался.

— Если вы уже произвели меня в виновные, мне здесь нечего делать, — хрипло бросил он, адресуясь исключительно к ненавистному чиновнику.

Амалии пришлось призвать на помощь весь свой такт, всю силу убеждения, чтобы погасить страсти, но это удалось ей только отчасти. Дмитрий Иванович произнес несколько колкостей в адрес полицейского, но тот был так вежлив и выдержан, что все стрелы разъяренного композитора отскакивали от него, как от стенки горох. В конце концов Амалия выпроводила Чигринского и передала его дядюшке Казимиру, который, бесцельно слоняясь по комнатам, мирно курил трубочку.

— Кажется, дядюшка, у вас где-то завалялись гаванские сигары? — спросила Амалия.

Казимир призадумался, потом вспомнил, что сигары были привезены ему в подарок самой Амалией, и торжественно пообещал сей же час их попробовать, заодно угостив и композитора. Он увел Чигринского, а Амалия вернулась в комнату с зеленым роялем.

— А вы переменились, Саша, — неожиданно сказала она, затворяя дверь и поворачиваясь к полицейскому. — Очень переменились.

— Право, я не понимаю, о чем вы, Амалия Константиновна, — смутился Зимородков. — Вам угодно было принять участие в господине музыканте, потому что вы сочли его жертвой чьих-то адских козней — это ваше дело. Но я не вижу причин, по которым закон должен делать для него исключение. Конечно, он талантливый композитор, но...

— Я, как вы выражаетесь, приняла в нем участие не потому, что он композитор, — сухо заметила Амалия, возвращаясь на прежнее место. — Я помогаю ему потому, что он невиновен.

— Ой ли?

— Я в этом уверена.

— Женская интуиция, без сомнения?

— Как вам будет угодно, — колюче ответила Амалия. — Но он ее не убивал, и точка.

— А если вы ошибаетесь?

— Я не ошибаюсь.

— Почему вы так уверены в этом?

— Потому что он не смог назвать мне ни одного человека, которому ее смерть была бы выгодна.

Будь он убийцей, он поторопился бы назвать множество подозреваемых и для каждого приискал бы вполне логичный повод.

— А может быть, он просто неумен? Из его действий, — добавил Зимородков, заметив, как сверкнули глаза Амалии, — вроде бы напрашивается такой вывод.

— Боюсь, что если мы углубимся в рассмотрение ума как такового, то нам придется признать, что как минимум в некоторые моменты им никто не обладает, — со смешком заметила баронесса Корф. — И самые умные люди — то есть, как правило, те, кого дураки обычно считают умными — совершают порой настолько детские ошибки, что просто диву даешься.

— А вы не переменились, Амалия Константиновна, — без всякой улыбки заметил Зимородков. — Ни капли[1]. Хорошо, так что именно вы от меня хотите?

— Я уже сказала: чтобы мы провели расследование и нашли убийцу.

— Вот как? А если им окажется Дмитрий Иванович?

— Значит, Дмитрия Ивановича будут за него судить. Но его вина должна быть доказана.

— Тогда считайте, что она практически доказана, Амалия Константиновна.

— Что это значит? — насторожилась Амалия.

— Саблин уже провел вскрытие и прислал мне отчет, — пояснил Зимородков. — На убитой был корсет, но, несмотря на это, нож пробил его и во-

---

[1] Первая встреча этих героев описана в романе «Отравленная маска».

шел точно в сердце. Иными словами, удар наносил человек, физически очень сильный — то есть сильный мужчина. Женщина, как объяснил Саблин, такой удар нанести не сможет. Вопрос: какой сильный мужчина был на месте преступления и сразу же после него попытался увезти труп? По-моему, все очевидно. Воля ваша, Амалия Константиновна, но это он ее убил.

— Вы меня не убедили, — сказала Амалия после паузы.

— Вы упоминали, что Дмитрий Иванович отдал вам нож, которым была зарезана Ольга Верейская, и сказал, что вытащил его из раны. Так вот, Саблин изучил и нож тоже. Чтобы вонзить его в тело, нужна была недюжинная сила, но не меньшую силу пришлось применить, чтобы его вытащить, потому что он пробил насквозь планку корсета. Это Чигринский, Амалия Константиновна. В этом нет никаких сомнений.

— Хорошо, — неожиданно легко согласилась Амалия. — Итак, композитор Чигринский отправляет своей любовнице записку, что вечером будет у нее. Он покупает конфеты, торт, сотерн и отправляет ей, затем заходит в лавку и смотрит обручальные кольца. Потом он приходит в дом, здоровается со швейцаром, поднимается по лестнице, входит и хладнокровно убивает любовницу. Кстати, откуда взялся нож? Сам Чигринский не упоминал, что он принадлежит Ольге Николаевне.

— Он мог принести его с собой.

— Прекрасно. Получается, что он заранее обдумал убийство, заказал сладости, вино и еще успел зайти к ювелиру, полюбоваться на кольца. Воля ваша, но это какой-то запредельный цинизм, что вовсе не вяжется с характером Дмитрия Ивановича. И кто донес в полицию, что он убил любовницу и увез ее тело в мой дом?

— Нам позвонили по телефону.

— Вот как? И имя убийцы сказали сразу же, не так ли?

— Вы правы, — нехотя признал Александр Богданович.

— Что-то мне подсказывает, что автор сообщения был настолько скромен, что не удосужился назвать себя, — усмехнулась Амалия.

— Думаете, он и есть убийца?

— Или убийца, или его сообщник. Впрочем, так как в Петербурге мало телефонов, найти его не составит труда[1]. Вот этим прежде всего и следует заняться.

— Я бы и рад вам помочь, Амалия Константиновна, — серьезно сказал Зимородков, — но, к сожалению, я не могу ничего поделать. Я еще не окончил дело с убийством Громовой и ее приживалок.

— Так горничная все же ни при чем?

— Судя по всему, да. Ее стали подозревать с самого начала, потому что она отпросилась у хозяйки как раз на то время, когда произошло убийство. Мы в полиции не любим такие совпадения, но оказалось, что горничная действительно уезжала на крестины племянника и была там крестной матерью.

— А что с кольцами, которые у нее нашли?

---

[1] Телефон был изобретен в 1876 году. В России первые городские телефонные станции начали действовать в 1882 году.

— Она пыталась нас убедить, что кольца ей подбросили, но в конце концов ей пришлось признаться, что она нашла их после убийства и взяла, считая, что их никто не хватится. К тому же прижимистая генеральша задолжала ей жалованье. Конечно, горничная поступила некрасиво, но меня интересует не maraude[1], а куда более серьезное преступление, в расследовании которого она мне помочь не может. Расследование затягивается, к тому же пропали значительные ценности, а следов почти никаких. Боюсь, в этих обстоятельствах мне придется доверить дело Верейской другому сыщику. Можете не сомневаться, — поспешно добавил Зимородков, — это будет очень, очень опытный профессионал.

— Полагаю, вы сумеете объяснить своему профессионалу, что ему придется меня слушаться, — проворчала Амалия. — Потому что руководить расследованием все равно буду я, и это право никому уступать я не намерена.

— Не имею ничего против, — с улыбкой ответил Александр Богданович. — Но с одним условием: вы не попытаетесь скрывать улики, чтобы выгородить вашего... вашего протеже.

Амалия нахмурилась.

— По-моему, мы с вами достаточно знаем друг друга, милостивый государь, — очень холодно сказала она. — Я не занимаюсь сокрытием улик и не перетолковываю их в пользу обвиняемого.

— Амалия Константиновна...

— И давайте покончим на этом. Если Дмитрий Иванович невиновен, я найду убийцу. Если он ви-

---

[1] Мародерство, габеж (*фр.*).

новен, я найду доказательства его вины. Ваш человек будет мне помогать, и я от души надеюсь, что его реальные качества соответствуют его репутации.

— Будьте спокойны, госпожа баронесса, — отозвался Зимородков. — Это прекрасный специалист, и на него до сих пор не было никаких нареканий. Можете на него положиться: он вас не подведет!

ГЛАВА 12

КОЕ-ЧТО О СМЫСЛЕ БЫТИЯ

Дмитрий Иванович Чигринский не был японским поэтом, как, впрочем, и поэтом вообще. Над смыслом жизни он задумывался нечасто, но, во всяком случае, орхидеи, закаты и дети его не слишком волновали. И если бы кто-нибудь из репортеров вздумал расспрашивать композитора о смысле жизни, а не о том, как он начал сочинять, что он пишет сейчас и что будет сочинять потом, — так вот, если бы репортер задал не один из трафаретных вопросов, какие всегда наготове у пишущей братии, а стал бы допытываться, что Дмитрий Иванович ценит больше всего, тот, наверное, ответил бы: музыку, еще раз музыку и хороший табак.

Сиреневый дым восхитительной гаваны окончательно примирил с жизнью композитора, который всего каких-нибудь четверть часа назад был готов выйти из себя и учинить нешуточный скандал. Однако в обществе Казимирчика и коробки сигар Чигринский посвежел душой, отбросил ненужные эмоции, как дерево сбрасывает сухую листву, и пришел к выводу, что все, в сущности, не так плохо, а дальше, возможно, будет еще лучше.

По правде говоря, Дмитрия Ивановича чрезвычайно волновал вопрос о том, что за человек его хозяйка и почему чиновники особых поручений находятся у нее на посылках. (Положим, Александр Богданович вовсе не был этаким вариантом золотой рыбки, но Чигринскому было приятно думать, что ненавистный чинуша зависит от Амалии и является по первому ее зову.)

Чигринскому пришло в голову, что неплохо бы навести кое-какие справки у Казимира Станиславовича, но к такому сложному делу надо было приступать с толком. Не бухнешь же, в самом деле, напрямик: «А скажите-ка, милостивый государь, что за человек вообще ваша племянница?»

И Дмитрий Иванович решил пойти обходным путем.

— А скажите-ка, ясновельможный пан, есть ли в этом доме что-нибудь выпить? — поинтересовался он.

Казимир покосился на него, и в глазах его мелькнули огонечки, которые лучше всяких слов сказали композитору, что он на верном пути.

— Как нет выпить? Разумеется, есть, — степенно отвечал Казимирчик.

— Тогда, может быть, водочки?

— Можно и водочки, — приободрился Казимир. — Если уж бог выдумал водку, то не для того, чтобы на нее глядеть...

Он вызвал звонком горничную в кружевном фартучке, которую Чигринский уже видел, и, сославшись на композитора, велел подать водку.

— Пан Казимир...

— Что, Машенька? — Пан сделал невинное лицо.

— А Аделаида Станиславовна вас не съест? — покосившись на гостя, шепотом спросила Машенька.

— За что ж меня есть? — сделал большие глаза Казимирчик. — Это гость захотел выпить, я-то тут при чем? Желания гостя надо уважать...

Машенька хихикнула и упорхнула. Чигринский вздохнул. Ему уже стало ясно, что перед ним совершенно никчемная личность паразитического склада, но он был готов поклясться, что вся женская прислуга обожает этого паразита, а Амалия, хоть она вряд ли обманывается насчет дядюшки, в обиду его ни за что не даст. «И за что подобным шельмам такое везение? — философски помыслил Дмитрий Иванович. — Не понимаю я, ей-богу!»

— Мне, наверное, нужно перед вами извиниться, — начал он. — Так нелепо все получилось: я вроде как вторгся в ваш дом и, вероятно, порядком вам мешаю.

Казимирчик склонил голову к плечу, обдумывая слова собеседника.

— *Мне* вы вовсе не мешаете, — произнес он.

Следует заметить, что в этой реплике был весь Казимирчик. О чем бы ни шла речь, он прежде всего думал о себе и уже потом — об остальных. И не то чтобы ясновельможный пан был законченным эгоистом — нет, он совершенно искренне полагал, что так, как он, мыслят все люди, хотя далеко не всем хватает смелости в этом признаться.

— Но так как вы — глава семейства, я хотел бы все же попросить прощения, — шутливым тоном заметил Чигринский.

Его слова возымели совершенно неожиданное действие: Казимирчик вытаращил глаза и поперхнулся.

— Кто я? — спросил он, все еще кашляя. — Глава семейства? Нет, что вы! Упаси бог!

— Но я полагал, — начал сбитый с толку Чигринский, — так как вы единственный мужчина в доме...

— Ах, вот вы о чем! — Казимирчик явно успокоился и повеселел. — Нет, глава семьи — моя племянница. Я, гм, просто тут живу, потому что так удобнее.

— О! — только и мог вымолвить Чигринский. — Простите, я не знал.

Хорошенькая Машенька внесла поднос с графинчиком и закуской. Казимир оставил сигару и энергично потер свои маленькие белые ручки.

— Ступай, Машенька, — сказал он, весело блестя глазами. — Если ты понадобишься, мы тебя позовем.

В последующие несколько минут было слышно только吃 бульканье льющейся жидкости, стук вилок и энергичное жевание.

— Каковы грибочки-то, а? — заметил Казимир, который вспомнил о своих обязанностях хозяина и решил подать вежливую реплику.

— И не говорите, — степенно отвечал Чигринский. — Ваше здоровье, пан Казимир, и здоровье вашего почтенного семейства!

— Я, собственно, не женат, — не понятно к чему сообщил Казимир. — Но вы правы: Адочка и ее дочь — моя семья. — Он чуть не прослезился от умиления и вслед за этим лихо опрокинул залпом полную рюмку водки.

— Вам очень повезло с семьей, — искренне сказал Чигринский.

— Мне? — изумился Казимирчик. — Ах, ну да! Конечно.

— Я только не понял. — Дмитрий Иванович доверительно наклонился к собеседнику: — Ваша племянница...

— Да? — рассеянно молвил Казимирчик, поддевая на вилку соленый груздь.

— Вы бы не могли рассказать мне о ней подробнее? Просто мне так неловко, я же почти ничего о ней не знаю. Только то, что она занимается благотворительностью.

— Кто, Амалия? — вытаращил глаза Казимирчик. — Ах, ну да! Благотворительность, это... Ну да, ну да. Но, конечно, ее работа куда сложнее.

— Так у нее есть работа? — заинтересовался Чигринский.

Казимирчик важно поднял указательный палец.

— Это секрет, — громким шепотом сообщил он. — Ни-ни-ни. Ни слова, иначе с меня снимут голову. — Ясновельможный пан потряс графин, в котором ничего уже не оставалось, заглянул внутрь и озадаченно нахмурился. — Что такое, уже все?

— Безобразие! — поддержал его Чигринский. — Пора повторить.

— И в самом деле, — обрадовался Казимирчик и дернул за звонок. — Машенька! Повторить!

Машенька впорхнула в комнату, послала Чигринскому укоризненный взгляд и унесла поднос с опустевшей посудой. На смену графинчику с водкой явился графин с наливкой.

— А вот это из нашего имения, — сообщил Казимир. — Ух, как там наливку делают! — Его лицо сияло, он явно был на седьмом небе от счастья.

«И зачем такому остолопу музыка? — подумал Чигринский, нахохлившись. — Принесли ему водки и закуски, он и блаженствует. К чему ему какие-то горние выси, вдохновение, муза...»

Он поймал себя на том, что ему уже не хочется пить, что он сейчас трезв и зол, как никогда. Но Казимирчик, который ничего не замечал, уже разлил наливку, и Чигринскому волей-неволей пришлось с ним чокнуться.

— Однако недурственно! — только и мог вымолвить композитор, переводя дыхание.

По телу словно побежал теплый клубок, и Чигринский повеселел. Казимирчик меж тем приговорил к смертной казни холодец и методично уничтожал его.

— А хорошо тут у вас, — расчувствовавшись, признался композитор.

— Конечно, хорошо, — сказал Казимирчик с набитым ртом. — Тяпнем еще, ясновельможный пан?

Джентльмены налили, чокнулись и тяпнули.

— А чем занимается барон Корф? — спросил наудачу Чигринский.

— Он флигель-адъютант его императорского величества. — Казимирчик выразительно скривился, как будто попасть ко двору не было пределом мечтаний для большинства людей того времени. — Да это неважно. Он с нами не живет.

Ага, получается, Амалия разошлась с мужем. Так-так-так...

— Но ужинает у нас часто, — продолжал Казимирчик, принимаясь за осетрину. — Моей сестре он очень по душе, а Амалия не против. — Он покосился на озадаченное лицо композитора и прибавил: — Только не подумайте ничего такого. Адочка всегда была против их развода.

К Чигринскому вернулось полузабытое ощущение, что он попал в очень странное место. Теща, которая на ножах с зятем, это пожалуйста, сколько угодно, это вообще по-нашему, по-русски. Но теща, у которой отношения с зятем лучше, чем у дочери... нет, такого он даже вообразить не мог.

— Отчего же они разошлись? — не удержался Чигринский.

Ну вот, пожалуйста, с отвращением помыслил он. Я превращаюсь в салонного сплетника, — хотя именно эту породу людей композитор всегда терпеть не мог.

— Понятия не имею, — пожал плечами Казимирчик.

— Ну хоть что-то было?..

— Ничего такого не было. Но, — продолжал ясновельможный пан, на глазах розовея от выпитого, — признаться, я не слишком удивился, когда она его оставила. Еще наливочки?

У Чигринского уже голова шла кругом, но от наливки он отказываться не стал.

— Наверное, вам мое любопытство кажется странным... — начал он. — Но Амалия Константиновна обещала мне помощь... точнее, содействие... И я не очень хорошо представляю себе... — Он запнулся, досадуя, что не смог точнее сформулировать свою мысль.

— Это насчет трупа, который вы к нам привезли? — без малейшего признака волнения спросил Казимирчик. — Не беспокойтесь. Если Амалия сказала, что вы невиновны, значит, так оно и есть, и она это докажет. Еще рюмочку?

— Нет-нет-нет!

— Обижаете, ясновельможный пан! Не можете больше пить — так и скажите...

— Я? Ха! Да я в полку мог перепить любого...

— Га! То в полку, а то в мирной жизни...

...Когда, попрощавшись с Зимородковым, Амалия спустилась вниз и стала искать гостя, она застала такую картину: Чигринский и Казимир сидели на диване, обнявшись, и распевали одну из самых знаменитых песен, написанных композитором.

> Когда сидишь ты ночью у камина
> И вспоминаешь умерших друзей,
> Золу воспоминаний кто незримый
> Всех чаще ворошит в душе твоей?

Амалия поглядела на них, покачала головой и удалилась. Ей было что сказать, но вряд ли ее собеседники восприняли бы ее слова в том состоянии, в котором они находились.

В час дня Амалии доложили, что ее спрашивает сыщик, который говорит, что его прислал Александр Богданович.

— Я немедленно его приму, — сказала баронесса Корф. — Проводите его в малую гостиную.

Когда она вошла туда и увидела, кого именно ей прислал Зимородков, слова приветствия замерли у нее на губах.

Перед ней стоял Гиацинт Христофорович Леденцов.

ГЛАВА 13

ЭТЮД В ПЕПЕЛЬНЫХ ТОНАХ

Признаться, Амалия льстила себя мыслью, что она за словом в карман не лезет, однако, вновь увидев в своей гостиной молодого сыщика, баронесса Корф на мгновение растерялась.

Ключевое слово в предыдущей фразе — именно «на мгновение», потому что в следующее Амалия уже оправилась и храбро ринулась в атаку.

— О! Гиацинт Христофорович! Значит, это вас прислали мне на подмогу?

Печальный Гиацинт поклонился, достал из кармана весьма объемистую записную книжку (само собой, такую же пепельно-серую, как и он сам), перелистал ее страницы и, пристально глядя на собеседницу, сообщил:

— Дмитрий Иванович сказал неправду. Он не был вчера в ресторане Мишеля, я спрашивал. — Леденцов выдержал крохотную паузу. — Получается, домой к вам доставить вашего дядюшку он тоже не мог.

Тут Амалия почувствовала, что ей придется иметь дело с чрезвычайно упрямым, чрезвычайно въедливым и чертовски злопамятным человеком. Пока она еще не могла решить, хорошо ли это для дела, или плохо.

— Полагаю, Гиацинт Христофорович, мне придется дать кое-какие разъяснения, — дипломатично сказала она. — Так что давайте присядем и поговорим.

И Амалия, на сей раз ничего не утаивая, пересказала Леденцову все, что уже знает благосклонный читатель.

— Прошу меня простить, сударыня, — очень учтиво промолвил Гиацинт, — но после всего, что вам стало известно, вы все равно его выгораживаете? Ведь ясно же, что никто не мог убить Ольгу Верейскую, кроме него.

— Этого мы пока не знаем.

— Простите?

— Мы вообще покамест ничего не знаем о жертве, кроме того, что о ней сообщил Дмитрий Иванович. Молодая, красивая, бывшая актриса, врагов не имела — все это, конечно, интересно, но звучит слишком обобщенно. Нужно будет тщательно изучить, что она собой представляла. Затем: таинственный звонок, который сообщил об убийстве. Я хочу знать о нем все, и прежде всего — кто именно звонил.

Гиацинт кивнул, и машинально Амалия отметила, что у ее собеседника очень умные глаза.

— Боюсь, что пока нам известно немного. Это не частный телефон, я имею в виду, не телефон, установленный в квартире.

— Вот как?

— Да. Звонили из ресторана «Армида». Там в зале висит настенный аппарат, хозяин провел телефон, чтобы повысить популярность заведения. — Гиацинт поколебался, но потом все же добавил: — Строго говоря, нельзя утверждать, что звонивший не назвал свое имя. Он сказал, как его зовут, но в зале было шумно, и...

— И он бросил трубку после того, как пробормотал первое попавшееся имя, — докончила Амалия.

— Этого нельзя утверждать наверняка, — тихо, но внушительно заметил молодой сыщик.

— А знаете, если бы не было этого звонка, я бы, может быть, и поверила в виновность Чигринского, — неожиданно проговорила баронесса Корф. — Что-то с этим делом неладно, ой как неладно. Зачем им понадобилось сразу, с ходу, обвинить его — именно его? Кому он мог так помешать?

— Им? — поднял брови Леденцов.

— Скажите, вы много расследовали дел об убийствах? — вопросом на вопрос ответила Амалия.

— Порядочно, — скромно потупился Гиацинт Христофорович.

— И часто бывало, что вам доносили об убийстве и называли имя убийцы еще тогда, когда даже тело не было обнаружено?

— Случалось, — спокойно ответил Леденцов. — Однажды, прошу прощения, два вора не поделили добычу... сожительница одного видела, как ее любовника убили, и тотчас же побежала сдавать убийцу. Был еще один случай, но я даже не знаю, удобно ли его вам рассказывать...

— Нет, — покачала головой Амалия. — Здесь что-то другое, но что? — Она поднялась с места. — Впрочем, не будем больше терять времени. Дмитрий Иванович сказал, что вчера, унося Ольгу Николаевну, он запер квартиру. Значит, ключи до сих пор у него. Я заберу их, и мы отправимся в Фонарный переулок.

Гиацинт Христофорович не возражал, а если бы он и попытался возражать, он почему-то был уверен, что Амалия все равно не стала бы его слушаться. Однако, едва баронесса Корф вышла за дверь, выражение лица молодого человека изменилось. Теперь оно казалось уже не печальным, а упрямым, и даже светло-серые глаза потемнели.

Леденцову представлялось, что ему попалась представительница несовместимой с сыскным делом породы дам, имеющих слишком большую власть, которые горазды во все вмешиваться и всем мешать. И он предвидел большие трудности, потому что в глубине души не сомневался, что именно Дмитрий Чигринский, этот двуличный композитор, убил в порыве гнева свою любовницу и теперь готов идти на что угодно, лишь бы его не разоблачили. Однако Гиацинт Христофорович твердо решил, что ничего у Чигринского не выйдет. Преступление есть преступление, и тот, кто его совершил, должен отвечать по закону, а композитор он, банкир или простой обыватель, простите, не имеет никакого значения.

— Господин Леденцов!

Спохватившись, он поднял голову и увидел прямо напротив себя смеющиеся глаза Амалии. Баронесса Корф только что вернулась, но как же она преобразилась! Куда-то исчезла уверенная в себе, властная и элегантная светская дама, а ее место заняла скромно одетая серая мышка — настолько незаметная, что Гиацинт даже не обратил на нее внимания, когда она вошла в комнату.

— О! — только и мог вымолвить сыщик.

— Идемте, — сказала Амалия. — Мою карету мы брать не будем, чтобы не привлекать внимания. Сядем в обычный экипаж.

— Как себя чувствует Дмитрий Иванович? — не удержался Леденцов, когда они спускались по лестнице.

Амалия как-то неопределенно повела плечами.

— Как чувствует? Гм... Думаю, он очень хотел бы забыть то, что случилось, но получается у него плохо.

Гиацинт насупился и подумал, что Амалия непростительно добра, а такие, как Дмитрий Иванович, без зазрения совести этим пользуются.

— Могу ли я спросить, сударыня, что вы намерены предпринять, если вина господина Чигринского будет положительно доказана? — кротко осведомился он.

— Полагаю, что в таком случае я просто предоставлю господина Чигринского его участи, — в тон ему ответила Амалия.

Они доехали до Фонарного переулка, и баронесса Корф расплатилась, невзирая на возражения своего спутника.

— А вот и дом Ниндорф, — сказала она.

Это было типичное строение в четыре этажа, чемто неуловимо смахивающее на казармы, но Амалия знала, что снять жилье здесь стоило денег, и немалых. Отсюда рукой подать до Театральной, Исаакиевской и Мариинской площадей, да и Гороховая, где жил композитор, тоже не так уж далеко.

— Начнем со швейцара? — скорее утвердительно, чем вопросительно промолвил Леденцов.

— Разумеется, — кивнула Амалия. — Посмотрим, что он сумеет нам рассказать.

— Я имел с ним утром краткую беседу, когда проверял сведения об исчезновении Ольги Николаевны, — сказал молодой сыщик. — Само собой, я не упоминал причину моего появления, так что он до сих пор не знает, что произошло.

— Очень хорошо, — одобрила Амалия. — Пусть так будет и впредь.

— Но, сударыня, нам придется все же объяснять, почему мы предпринимаем расследование.

— Потому что с Ольгой Николаевной произошло несчастье. В крайнем случае можете добавить, что она подверглась нападению. Полагаю, такого объяснения вполне достаточно.

Заметив молодого сыщика, Тихон настороженно шагнул ему навстречу. На Амалию он поначалу даже не обратил внимания.

— До сих пор не возвращалась, — сообщил швейцар, явно имея в виду Ольгу Верейскую. — И господин Чигринский тоже не показывались.

— Скажите, а вы все время находитесь на своем посту? — спросила Амалия.

Тихона, казалось, обидел даже намек на предположение, что он мог куда-то отлучиться и пропустить возвращение жильцов.

— Я, сударыня, больше двадцати лет здесь служу, меня все знают, и чтобы я взял и куда-то ушел... да разве мне за такое платят? Если уж взялся делать дело, то надо делать его хорошо. Правильно я говорю?

— И вчера вечером вы никуда не отлучались? — подал голос сыщик.

— Никуда.

— Вы помните, как Ольга Николаевна вчера вела себя, когда уехала с господином Чигринским? — спросила Амалия.

— Как обычно, — отвечал Тихон. — Была оживленная, смеялась...

Леденцов поднял голову от записной книжки, в которую, верный своей привычке, заносил все показания свидетелей.

— Смеялась? — с нескрываемым удивлением переспросил он.

— Да. Дмитрий Иванович ее на руках нес. Он сказал, что проспорил ей пари.

Ну что прикажете делать с такими свидетелями? Объяснять, что Ольга Николаевна не могла ни смеяться, ни плакать, ни как-либо иначе вести себя по той простой причине, что уже была мертва? Амалия послала своему спутнику предостерегающий взгляд.

— Скажите, а как давно Ольга Николаевна живет здесь? — спросила она.

— Как давно? Дайте-ка подумать... — Тихон насупил брови. — Год и четыре месяца.

— Плату за нее вносил Дмитрий Иванович? — как бы между прочим поинтересовался Гиацинт.

— Э... гм... точно так, сударь.

— И часто он навещал ее?

У Тихона в голове мелькнуло, что спутницы полицейских сыщиков задают вопросы, ответ на которые очевиден с самого начала. Само собой, что Дмитрий Иванович поселил тут свою знакомую вовсе не для того, чтобы вскоре забыть о ее существовании...

— Как когда, сударыня. Иногда он каждый день к ней заезжал. Иногда в неделю показывался два-три раза. Но бывал он тут часто, что есть — то есть.

— Ее это устраивало?

— Простите, сударыня?

— Дмитрий Иванович холост, и ему вроде бы ничто не мешало поселить Ольгу Николаевну у себя дома. Она не жаловалась, что он пренебрегает ею, что он нарочно отдаляет ее?

— Мне ни о чем таком не известно. По-моему, Ольгу Николаевну все устраивало. Дмитрий Иванович всегда был очень щедр, — счел необходимым добавить Тихон.

— А кроме Дмитрия Ивановича, кто у нее бывал? — спросил Леденцов.

— У Ольги Николаевны? — искренне удивился Тихон.

— Неужели ее никто больше не навещал? Ни подруги, ни... знакомые?

— У нее не было подруг, а что до знакомых мужского пола, я думаю, Дмитрию Ивановичу не понравилось бы, если бы она их принимала, — с достоинством ответил швейцар.

— И что, к ней никто не ходил? — спросила Амалия.

— Да в общем-то никто, сударыня. Она очень тихо жила. Приезжала, конечно, портниха для примерок, из шляпного магазина шляпки ей привозили... но вас же не это интересует, верно?

— И что, она целыми днями сидела в четырех стенах? — недоверчиво осведомился Леденцов.

— Почему целыми днями? Она выезжала на прогулки, любила по магазинам ходить, в театрах бывала опять же. Нет, никто ее ни в чем не стеснял.

— Скажите, а до вас не доходили слухи, чтобы Ольге Николаевне кто-нибудь угрожал? Или что она с кем-нибудь поссорилась, к примеру?

— Сударь, — заворчал старый швейцар, — у нас не такой дом, чтобы кто-то да что-то такое... Ольга Николаевна всегда со всеми вежливая была, никого не обижала, и ее никто не обижал. Она всем нравилась...

— Вы помните, кто вчера приходил к госпоже Верейской? — спросила Амалия.

— Дмитрий Иванович.

— А кроме него?

— Больше никого, сударыня.

— Вы уверены? Подумайте хорошенько, это может быть очень важно.

Тихон задумался.

— Была еще горничная Соня, — сказал он наконец. — Позавчера Ольга Николаевна ее уволила и сказала, что позже расплатится. Но Соня в квартиру не входила, ее Ольга Николаевна не пустила.

— А за что Ольга Николаевна ее уволила? — поинтересовался Гиацинт.

— Это вы уж у Сони спросите, — степенно отвечал швейцар. — Софья Андреевна Харитонова ее полное имя, а живет с семьей на Дерптской улице, в доме Бочаровой.

— Это за Фонтанкой, что ли? — спросил Леденцов.

— Да, сударь.

— Скажите, а к доктору Матвееву вчера приходило много народу? — спросила Амалия. Тихон покосился на странную собеседницу с легкой иронией.

— Игнатий Сергеевич хороший врач, — сказал он. — Конечно, к нему многие ходят. И генералы, бывает, приходят.

— Вы всех его пациентов знаете? — подал голос Леденцов.

— Всех никак невозможно, сударь. Но кто ходит уже давно, тех, разумеется, знаю.

— Вчера вечером, часов около пяти, поднимались к нему какие-нибудь новые посетители?

Тихон задумался.

— Вечером... вечером... Была барыня с дочкой, я так понял, дочку ему показать хотела. Потом генерал Челищев, суровый такой...

— Генералу уже под восемьдесят, — заметила Амалия. — А еще кто-нибудь заходил? Какой-нибудь, знаете ли, мужчина, не старый, крепкого сложения...

Но Тихон только головой покачал.

— Воля ваша, сударыня, не припомню. Думается мне, что вчера к доктору не заходил тот, кто вам нужен.

— Скажите, а мог ли кто-то зайти с черного хода так, чтобы вы не заметили? — спросил Леденцов.

— Не думаю.

— Почему?

— Потому что там петли плохо смазаны, и я слышу, когда кто-то входит. И не только слышу, я же за порядком слежу и смотрю, кто идет.

— Кто пользовался черным ходом вчера вечером?

— Да все свои. Горничная полковника, который тут живет, потом к кухарке доктора приехала внучка из деревни, она с черного хода зашла. А господа через этот ход не ходят никогда, им это ни к чему.

— Если вы все же что-то вспомните, обязательно скажите нам, — заметила Амалия. — Мы пока поднимемся в квартиру Ольги Николаевны.

Тихон пошел отворять дверь красивой брюнетке с горностаевой муфтой, а сыщики двинулись к лестнице.

— И что вы обо всем этом думаете, Амалия Константиновна? — с любопытством спросил Леденцов.

— Что я думаю? — рассеянно ответила Амалия. — Пока, судя по всему, вы правы. Если никто, кроме Чигринского, не входил в квартиру Ольги Верейской и не поднимался наверх, получается, что убить ее мог только он.

— По-вашему, убийца мог сказать, что он поднимется к доктору, а сам отправился к Ольге Николаевне и зарезал ее?

— Хм, — задумчиво протянула Амалия. — Это как бы сам собой напрашивающийся вариант. Только в этом случае непонятно, почему она впустила его в дом. Чигринский говорит, что нашел ее сидящей в кресле, в гостиной, то есть убили ее явно не у входной двери. Это, разумеется, если мы примем на веру его слова. Потому что ведь есть и свидетельство Тихона, который уверяет, что никто, похожий на человека, который нам нужен, наверх не поднимался. Впрочем, если верить швейцару, — насмешливо добавила Амалия, — Ольгу Николаевну тоже никто не искал, кроме горничной и композитора, а ведь в тот день у нее побывали еще два разносчика, из кондитерской и винного магазина, которые принесли покупки.

— Да, я тоже обратил на это внимание, — кивнул Леденцов. — Надо будет разыскать их и узнать, не заметили ли они чего-нибудь необычного.

— Пока что самое необычное в этом деле — это Ольга Николаевна. — Глаза Амалии сверкнули. — Вы поняли, о чем я, да? Либо швейцар чего-то не знает, либо он о чем-то предпочел умолчать. Слишком уж примерный образ жизни она вела. И самое любопытное, что из слов Дмитрия Ивановича вроде бы следует то же самое... Очаровательная молодая женщина, ни врагов, ни недоброжелателей... Мы пришли.

Амалия отперла дверь, и сыщики вошли. Леденцов постоял на месте, напряженно прислушиваясь и тщетно пытаясь уловить нечто зловещее, витающее в здешнем воздухе, но так ничего и не почувствовал.

— На ковре нет следов, — констатировала Амалия.

— Нет, — эхом откликнулся Гиацинт.

Они миновали коридор и вошли в гостиную. Первое, что увидел сыщик, были две бутылки вина, торт и коробка конфет, которые по-прежнему стояли на столе. Только потом ему бросились в глаза многочисленные фотографии молодой русоволосой женщины, хорошенькой и кокетливой, и портреты Чигринского с шутливыми дарственными надписями.

— Она не успела поставить бокалы, — сказала Амалия. — Вот в этом кресле он ее и нашел.

Она приблизилась к столу, взяла одну из бутылок, поглядела на этикетку.

— О-о... А Дмитрий Иванович не жалел денег. Это дорогой, выдержанный сотерн.

— Такое впечатление, — подал голос сыщик, — что хозяйка просто куда-то отлучилась.

— А? — Амалия живо обернулась к нему. — Да, вот это-то и поразительно. Здесь ничто не напоминает об убийстве. Никаких следов борьбы... ничего.

— Может быть, он успел прибраться и привести все в порядок?

— Он уверяет, что ничего такого не делал. Пойдемте-ка посмотрим на заднюю дверь.

Однако дверь черного хода была надежно заперта, и Леденцов первый констатировал, что с этой стороны в квартиру никто не мог пробраться.

Сыщики вернулись в гостиную, и Амалия стала методично просматривать содержимое всех ящиков. Шпильки, флаконы духов, чулки, драгоценности — судя по всему, Чигринский не жалел на свою любовницу денег. Леденцов стоял возле стола, молчал и хмурился. На его переносице залегла беспокойная морщинка.

— Это убийство... — сказал он вслух.

Амалия непонимающе взглянула на него.

— Хладнокровное и предумышленное, — мрачно добавил Гиацинт. — Когда он шел сюда, он уже знал, что убьет ее.

Он заметил, что Амалия держит в руках пачку каких-то писем, которую она извлекла из комода, и подошел ближе.

— Что это у вас?

— Пока сама не знаю, — честно ответила молодая женщина и, сев на диван, углубилась в чтение.

— Значит, дорогое вино, да? — неизвестно к чему проговорил Леденцов и вышел из комнаты.

Он вернулся через несколько минут и плюхнулся на диван, глядя в сторону.

— Что вы искали? — спросила Амалия, переворачивая страницу.

— Я смотрел другие ножи.

— И?

— Их рукоятки отличаются от рукоятки ножа, которым Ольга Николаевна была убита. Есть пара вроде бы похожих, но для специалиста сразу же ясно, что нож, которым совершили преступление, совсем другой. Следует, конечно, еще уточнить у горничной, но я думаю, что прав. Убийца принес нож с собой... Это предумышленное убийство.

И, словно Гиацинту было невмоготу сидеть на одном месте, он вскочил и подошел к окну. Часы на стене мягко пробили два.

— Ну-с, — сказала Амалия, складывая письма обратно в пачку, — если верить этим цидулькам, — она презрительно подчеркнула голосом последнее слово, — у Дмитрия Ивановича был повод убить свою любовницу.

Леденцов круто повернулся.

— Дайте-ка я угадаю, госпожа баронесса. У Верейской был другой любовник?

— Любовники, Гиацинт Христофорович, любовники! Один — известный драматург, другой — военный, а третий, чью личность мне установить не удалось, потому что он лаконично подписывался либо «твой», либо буквой «И», то и дело слал из Москвы послания. Были и другие, но она уже несколько лет не поддерживает с ними отношений. — Амалия нахмурилась. — Что такое, вы не рады? А я-то грешным делом была уверена, что эта новость вас обрадует.

— Нет, — коротко ответил Леденцов, дернув щекой. — Не сходится, госпожа баронесса.

— Что именно, Гиацинт Христофорович?

— Детали. Если бы Чигринский задумал ее убить, он бы не покупал самое дорогое вино, торт с марципаном и конфеты по три рубля коробка. Я ведь уже поймал так одного приказчика, — добавил Леденцов, воодушевляясь. — Он пришел к любовнице, которая мешала ему жениться на богатой, и убил ее. Понимаете, он знал, что любовнице уже ничего не понадобится, и вместо хорошего гребешка, — он обыкновенно ей всякую галантерею дарил, — словом, вместо приличного подарка принес дрянь. И вот на этом, Амалия Константиновна, я его и поймал. Он был уверен, что никто, ни одна живая душа не обратит внимания на такую мелочь. А я обратил. И сразу же понял, что она означает.

— Понимаю, — сказала Амалия после паузы. — Все преступления, в сущности, одинаковы. Теоретически, конечно, можно себе представить, что Дмитрий Иванович мог убить Ольгу Верейскую, но... Человек он абсолютно самодостаточный и не зависел от нее никак. Конечно, ревность нельзя сбрасывать со счетов, но такое убийство совершенно не в его духе. Он мог бушевать, кричать, что лишит очаровательную Оленьку содержания, мог... я не знаю... что-нибудь сломать, разбить... Но так, как это случилось — некто пришел с ножом, зная, что убьет беззащитную женщину... Нет, нет и еще раз нет. Тут какая-то очень хладнокровная жестокость, которая мне очень не по душе.

— Или крайняя форма ненависти, — мрачно проговорил Леденцов.

— Да. Поэтому наше дело осложняется. Нужно изучить всех, э-э-э, соперников Дмитрия Ивановича и понять, что они собой представляют. Если они женаты, то жен тоже нельзя упускать из виду. Также нельзя забывать, что, возможно, амурные дела тут вовсе ни при чем и Ольгу Верейскую убили, чтобы бросить тень на композитора, то есть действовали не ее враги, а его. А теперь давайте посмотрим остальные комнаты, может быть, там найдется что-нибудь любопытное.

ГЛАВА 14

ДВЕНАДЦАТЫЙ КОНВЕРТ

В спальне сыщики задержались ненадолго и вскоре перекочевали в комнату, которая, очевидно, задумывалась как библиотека, а стала гардеробной. Единственный книжный шкаф уныло стоял среди своих массивных собратьев, которые скрывали всевозможные дамские обновки и платья, пошитые у лучших петербургских портних.

Что касается книжного шкафа, то в нем находились в основном переводные романы. На столе, придвинутом к окну, стоял письменный прибор и лежали какие-то счета. Тут же валялась скомканная записка, в которой Чигринский вчера известил свою любовницу, что вечером заглянет к ней.

— А Ольга Николаевна ни в чем себе не отказывала, — бесстрастно заметил сыщик, просматривая счета. — Платье — пятьсот рублей...

— Договаривайте, — спокойно велела Амалия.

Гиацинт Христофорович искоса взглянул на собеседницу, которая явно обладала опасной способностью читать мысли.

— Чего ей не хватало? Она могла жить вполне безбедно, пользуясь... пользуясь одними только милостями Дмитрия Ивановича... А вместо того завела еще несколько любовников, возможно, это и явилось причиной ее гибели.

— Мы пока не знаем, что именно было причиной ее гибели, — напомнила Амалия. — Пока можно сказать, что Ольге Николаевне была не слишком присуща аккуратность, потому что вещи разбросаны как попало. Также очевидно, что она хорошо одевалась и не жалела на это средств... что еще? Да, думаю, Дмитрия Ивановича она не любила. Записки от людей, которыми дорожат, так не комкают.

Гиацинт Христофорович осмотрел ящики стола, но не обнаружил в них ничего примечательного, о чем и сказал своей спутнице.

— Пачка конвертов... писчая бумага...

— Вижу, — кивнула Амалия. — Такие конверты продаются обычно дюжинами.

Леденцов извлек из стола конверты и пересчитал их.

— Здесь только одиннадцать, — сказал он.

— Значит, она написала кому-то письмо, — заметила Амалия.

Не остановившись на достигнутом, молодой человек пересчитал и листки бумаги.

— Такая бумага продается по сто листов в пачке. Двух листов не хватает.

И сыщики молча уставились друг на друга.

— Надо узнать, кому она писала, — сказала Амалия. — На всякий случай, хотя, возможно, это не имеет никакого значения.

Вслед за столом сыщики занялись шкафами. Леденцов взял на себя шкафы с одеждой, а Амалия — книжный.

Молодой женщине повезло первой: она обнаружила в растрепанном томике Понсон дю Террайля пачку «радужных» — сторублевых купюр.

— Весьма оригинальное хранилище, — заметил Гиацинт. — А небольшие суммы она держала в столе.

Впрочем, сыщику тоже удалось обнаружить кое-что любопытное: в глубине шкафа, под стопкой чулок, он наткнулся на тщательно спрятанную небольшую коробочку, красиво упакованную в бумагу.

— Как вы думаете, что там? — спросил Леденцов, взвешивая коробочку на руке.

Амалия пожала плечами.

— Небольшой портсигар или папиросница. Похоже на какой-то подарок. — Она поглядела на корешки приключенческих романов, стоявших в шкафу, и добавила: — Будь мы с вами в романе, в этой коробочке непременно обнаружилась бы причина убийства Ольги Николаевны. Но лично я думаю, что вряд ли найденный вами предмет имеет отношение к делу.

— Посмотрим, посмотрим, — певуче проговорил Леденцов и развернул бумагу.

Внутри и впрямь оказалась очень изящная золотая папиросница, на внутренней крышке которой было выгравировано: «Володе от О., которая его любит».

— Насколько я помню, Дмитрий Иванович — не Володя, — кротко заметил Леденцов, и глаза его блеснули. — Тогда кто?

— Это корнет, — сказала Амалия. — Его зовут Владимир Павлов. Надо было мне сразу же сообразить, что это подарок для любовника. Иначе не было смысла так его прятать.

— Любопытная надпись, — заметил сыщик, вертя папиросницу в руках. — С одной стороны, сентиментальная, с другой — осторожная, потому что свое имя Ольга Николаевна не назвала. Только инициал.

— Да, похоже, что госпожа Верейская и впрямь была очень осмотрительна, — подтвердила его собеседница. — Тем более странно то, что с ней произошло.

Затем Амалия и Леденцов осмотрели небольшую столовую, где вдоль стен стояли застекленные шкафы с дорогим фарфором, и последнюю, пятую комнату, темную и невзрачную, в которой, судя по всему, жила горничная. На стенах до сих пор остались пришпиленные картинки, позаимствованные из иллюстрированных журналов.

— Граф Толстой, — пробормотала Амалия, вглядываясь в фотографию седобородого старца с пронзительным взором, похожего на лешего или какое-то подобное ему древнее лесное божество. — А знаете, Гиацинт Христофорович, я теперь не удивляюсь, что Верейская уволила Соню. Много вы знаете образованных людей, которые повесят себе на стену портрет Толстого — или, скажем, Пушкина? А вот горничная повесила, может быть, чтобы просто не оставлять стену голой, но тем не менее. Любопытно, что за человек эта Соня Харитонова?

— Во всяком случае, она не слишком дорожит этим портретом, раз оставила его здесь, — вернул Амалию на землю практичный сыщик.

— Вы прямо-таки разбили мои иллюзии, милостивый государь, — проворчала Амалия, но Леденцов видел, что она улыбается. — Кстати, я все равно хотела спросить, и раз уж мне этого не миновать, то я спрошу прямо сейчас, чтобы не умереть от любопытства. Почему все-таки Гиацинт?

— Простите?

— Почему вы Гиацинт? Вот в чем вопрос.

— А почему вы, например, Амалия? — парировал ее собеседник.

— Это фамильное имя, — объяснила молодая женщина. — Мои предки были родом из Германии, и в семье часто повторялись имена Аделаида и Амалия. Аделаида — моя мать, поэтому меня назвали Амалией.

— Ну, а у меня другая история, довольно-таки запутанная, — признался Леденцов. — Надо сказать, что моя мать видела в жизни одно отдохновение: чтение романов.

— Ей так несладко жилось? — быстро спросила Амалия.

— Можно сказать и так. Но она умела читать и считать, и она любила, чтобы книги были с благородными героями, с красивыми героинями и хорошим концом. Островского, например, она терпеть не могла — он в своих пьесах высмеивал купцов, а мой отец был купцом. И вообще его пьесы об обыкновенных людях, а моя мать не любила, чтобы в книгах было все как в жизни. — Леденцов помолчал. — И вот однажды ей попался переводной роман, — автора я уже не помню, — в котором главный герой по имени Гиацинт боролся с разбойниками и вообще был такой благородный, что дальше некуда. Моя мать читала и перечитывала эту книгу. Роман оказал на нее такое впечатление, что она решила непременно назвать меня Гиацинтом, и хотя была довольно робкого нрава и все вокруг ее отговаривали, настояла на своем...

«Боже мой, — в смятении подумала Амалия, глядя на собеседника, расчувствовавшегося от воспоминаний, — а ведь у него голубые глаза. И сам он вовсе не такой пепельно-серый, как показалось мне утром...»

Однако лицо Леденцова через мгновение замкнулось, и на него легла привычная для него тень сдержанной печали.

— Чем теперь занимается ваша матушка? — спросила Амалия.

— Она умерла, — коротко ответил сыщик. — Меня утешает только одно: она никогда не хотела, чтобы я стал купцом. Надеюсь, она не сердится на меня за то, как я исполнил ее желание.

— Александр Богданович сказал, что в полиции вас ставят очень высоко, — заметила Амалия. Впервые на ее памяти плотно сжатые губы молодого человека тронула улыбка, точнее, ее подобие.

— Вы очень добры, — промолвил он. — Что теперь? — прибавил он, оглядываясь. — Кухню я уже осмотрел, ничего интересного там нет. Думаю, мы можем уходить.

— Нам понадобятся письма, которые писали Ольге Николаевне ее поклонники, — напомнила Амалия.

— В качестве вещественного доказательства, если они вздумают отрицать связь с ней? Полагаю, вы правы. Тогда папиросницу я тоже заберу, если вы не возражаете.

— Не возражаю. Я думаю, на всякий случай стоит также забрать украшения и попросить опознать, все ли они на месте. Дмитрий Иванович уверяет, что ничего не пропало, но вряд ли он в тогдашнем своем состоянии присматривался к каждой безделушке.

Леденцов не возражал, но про себя он уже решил, что драгоценности не имеют касательства к делу, что это было убийство ради убийства, хотя мотив пока ускользал от него. И его настораживало, что он никак не может подобрать ключа, который поможет ему раскрыть преступление. В то, что это убийство на почве страсти, он больше не верил — слишком уж хорошо все было обдумано. Скорее уж тут были замешаны деньги, причем большие, — но, не имея пока никаких доказательств своей теории, Гиацинт поостерегся говорить о ней Амалии.

Он услышал, что его спутница произнесла несколько слов, и повернулся к ней. Они уже вернулись в гостиную, и Амалия держала в руках пачку писем, которые писали Верейской ее любовники.

— Итак, у нас есть трое: драматург Щукин, корнет Павлов и этот неизвестный «И», который, судя по всему, жил в Москве, но бывал и в столице. Поручаю вам корнета и драматурга, а себе оставлю третьего. Кроме того, я съезжу и поговорю с Соней Харитоновой, возможно, она сумеет назвать мне имя нашего загадочного незнакомца. Далее: крайне желательно установить личность господина, который позвонил из ресторана и сообщил, что Дмитрий Иванович Чигринский совершил убийство. Ресторан, Гиацинт Христофорович, я оставляю вам, а на себя дополнительно беру прислугу Чигринского. Зато на вас остаются разносчики из двух магазинов на Гороховой. Вряд ли им что-то известно, но все же следует их опросить, потому что они последними видели Ольгу Николаевну живой — не считая, конечно, убийцу. Таким образом, нам придется разделиться, чтобы расследование продвигалось быстрее. Если узнаете что-нибудь важное...

— Я немедленно сообщу вам, сударыня, — отвечал Леденцов с поклоном.

— У меня есть телефон, — сказала Амалия. — Если что-то нужно сообщить безотлагательно, звоните. Ну и, само собой, я расскажу вам то, что мне удастся узнать.

— Можно вопрос, госпожа баронесса? Что сами вы обо всем этом думаете?

Амалия пожала плечами.

— Если бы Ольга Николаевна была наследницей миллионера, я бы точно знала, кому она мешала. Пока я не вижу никакого просвета в деле и, пожалуй, остерегусь делать выводы.

Значит, Амалия тоже думает, что тут замешано что-то серьезное, куда более серьезное, чем романы на стороне. И Леденцов не мог удержаться от мысли, что ему на редкость легко работается с баронессой Корф, хотя утром он не мог даже представить себе, что им придется действовать вместе.

Они вышли из квартиры, Амалия заперла дверь и вместе со своим спутником двинулась вниз по ступеням.

В вестибюле Тихон прохаживался мерным шагом от входной двери до своей каморки, расположенной рядом с лестницей. Завидев сыщиков, он приостановился, но тут же сделал шаг им навстречу.

— Вы хотите что-то нам сказать? — спросила Амалия. — Мы вас слушаем.

— Вы, помнится, спрашивали про вчерашний вечер... — Тихон замялся. — Словом, был тогда еще один человек. Я подумал, что он пришел с дамой, которая свою дочку на прием привела. Он вошел одновременно с ними, но спустился-то он потом без них, вот в чем дело...

— Как он выглядел? — быстро спросил Леденцов.

— Молодой барин, лет тридцати или около того. Из военных, хоть и в гражданском.

— А ты откуда знаешь, что он из военных?

— Ну так выправка, — спокойно ответил Тихон. — Выправку, ваше благородие, никуда не деть, это уж на всю жизнь.

— Что еще вы запомнили о том барине? — вмешалась Амалия. — Рост, цвет волос, например?

— Борода у него была черная, на пол-лица. Росту он был высокого, и такой, знаете, плечистый. Вот вы сказали, что крепкого сложения, такой он и был. Просто я не сразу о нем вспомнил, потому что дама с дочкой шли впереди, а он за ними... И когда поднимались по лестнице, он их вперед пропустил, на добрый десяток ступеней. Дама все говорила, дочка ей отвечала, а он молчал. Надо было мне сразу же сообразить, что он не с ними.

— Когда именно он тут появился? — Леденцов лихорадочно писал в своей записной книжке.

— Когда? — Тихон задумался. — В смысле, вас точное время интересует? Полковник Радин на прогулку выходит каждый день ровно в пять. Он ушел, и уже после него появились дама с дочкой и тот... господин.

Это еще не был успех, но в глубине души Амалия торжествовала. Значит, все-таки имелся посторонний, который проник в дом как раз в то время, когда была убита Ольга Верейская...

— Тот господин с военной выправкой, — подал голос Леденцов, — как быстро он спустился вниз? Он долго находился наверху?

— Боюсь, на часы-то я не смотрел, — извиняющимся тоном промолвил Тихон. — Но мне показалось, что он быстро обернулся. Может, минут десять его не было. А что? С ним что-то неладно?

— Нам пока неизвестно, — сказала Амалия. — Мы только собираем сведения.

Тихон с понимающим видом кивнул, хотя, по правде говоря, он ничего ровным счетом не понял.

— А Ольга Николаевна когда вернется? — спросил он. — Вы тут все ходите, спрашиваете, ключи у вас от ее квартиры... А что с ней случилось-то, что такой переполох?

— С ней произошло несчастье, — спокойно промолвил Леденцов, переворачивая страницу в записной книжке. — Очень большое несчастье. Скажите, вы уверены, что к ней не ездили никакие мужчины, кроме Дмитрия Ивановича? Подумайте как следует, это может быть очень важно.

Однако Тихон вновь повторил то, что уже говорил раньше. Ни в чем подобном Ольга Николаевна не была замечена, и вообще...

— Она часто писала письма?

— Нет, я бы не сказал. Самой ей письма приходили, и счета, и все как полагается.

— А в последние дни она отправляла письма, вы не знаете?

— Я не видел, чтобы Соня что-то на почту носила. Но, наверное, лучше у нее самой спросить.

— А Ольге Николаевне письма часто приходили? Она говорила, от кого они?

— Она только пожимала плечами, когда видела новые послания. По-моему, она была им не слишком рада. — Тихон поколебался, но потом все же добавил: — Она в столице хорошо жила, вот ей разные бедные родственники и надоедали постоянно просьбами о деньгах... Она жаловалась, что они ее замучили.

— Бедные родственники, значит? — подняла брови Амалия. Она изучила переписку Верейской и отлично знала, что никаких писем от бедных родственников там не было и в помине.

— Так она говорила, сударыня.

Да-с, вот уж поистине ловко устроилась Ольга Николаевна. И ведь все так обставила, что никто не мог ее уличить — даже швейцар дома, в котором она жила, настаивал на том, что мужчины, за исключением Чигринского, к ней не ходили.

Амалия вспомнила одну из парадных фотографий, стоявшую в гостиной: капризный ротик, большие доверчивые глаза, очаровательное личико, обрамленное русыми волосами, дорогие кольца на тонких пальцах. Все было хорошо у Ольги Николаевны, и все шло к тому, что женила бы она на себе композитора, стала бы законной госпожой Чигринской и по-прежнему бы вела двойную жизнь, ни в чем себе не отказывая, — а может, не вела бы, тихо-мирно распрощалась со ставшими обузой любовниками, держала бы модный салон и блистала в нарядах от Ламановой, а то и самого Ворта. Кому она так помешала, что он прервал налаженное течение ее жизни, да и саму жизнь? Ведь прелестная Оленька была осторожна — Амалия теперь точно знала это — и явно неглупа...

А может быть, помешала вовсе не она, а Чигринский, которого кто-то замыслил таким образом погубить? Ну что ж, сказала себе Амалия, придется постараться, чтобы разрешить эту загадку...

ГЛАВА 15

ЩУКА, СТАВШАЯ КАРАСЕМ

Общеизвестно, что из писателей, украшающих собой российскую словесность, лучше всего живется драматургам.

На самом дне литературной табели о рангах, в ее, так сказать, тине барахтаются авторы юмористических рассказов для газет. Это мученики четырнадцатого разряда, которых дружно презирают все — коллеги, которые считают такую работу недостойной образованного человека, редакторы, которые никогда не выплачивают им в срок гонорары, и, наконец, читатели — да, да, те самые, которые хохочут над историями, в стотысячный раз описывающими стычки тещи с зятем или очередного растяпу, с которым происходит нечто смеховыжимательное.

Чуть выше, но ненамного, стоят авторы романов с продолжением, опять же газетных, которые публикуются из номера в номер. Тут и леденящие кровь тайны, и детективные загадки, и подброшенные дети, и потайные ходы, и под конец главы — непременное «продолжение следует». Бульварных писателей собратья презирают, но редакторы уже платят им более или менее регулярно, да и издатели книг начинают ими интересоваться. Тем не менее бульварные авторы — все равно парии, потому что в России любой писатель, который стремится просто писать интересно, а не высказывать свою точку зрения на Маркса, всеобщие выборы, крестьянский вопрос, оспопрививание и будущее планеты году этак в 2013-м, обречен изначально. Будь он даже знаменит, как Дюма, его все равно не станут воспринимать всерьез.

Выше творцов романов с продолжениями стоят авторы газетных рассказов для серьезных изданий вроде «Нового времени», а также авторы, работающие для почтенных литературных журналов. Это еще не генералы, но уже полковники. Редакторы называют их по имени-отчеству и в каждом новом письме не забывают справиться, что пишет «наш дорогой Иван Иваныч» или «Антон Павлович».

Еще выше стоят авторы, уже сделавшие себе имя, за которыми охотятся и журналы, и газеты, и издатели, и репортеры, алчущие интервью, и дамы, которые держат модные салоны и мечтают украсить свой стол знаменитостью, как украшают его старинным фарфором. Вот таких писателей, пожалуй, можно считать генералами. Критики обыкновенно брызжут на них ядом и желчью, даже если наши авторы не прочь обсудить будущее, оспопрививание, крестьянский вопрос и всеобщие выборы, потому что точка зрения писателя никогда не совпадает с тем, что думает критик, даже если последний не думает ничего. Известного писателя обычно ругают только за то, что он известен, и чтобы подчеркнуть свою обособленность от толпы, которая сделала его известным. Но нашим благоразумным генералам от литературы все равно, что пишут о них критики, пока их книги покупают читатели, критических статей не сочиняющие.

В ту эпоху нашей словесности командором ее был граф Лев Толстой, который, так сказать, олицетворял собой первую ступень литературной табели о рангах. Он стоял как глыба, и ему было смертельно скучно смотреть на карликов, копошащихся у его подножия. А поскольку он в прошлом был человек военный, то, чтобы избавиться от скуки, стал воевать. Воевал с Шекспиром, которого объявил никуда не годным автором, с церковью, с собственной женой, которая с ног сбилась, пытаясь ему угодить. Изумленная Россия взирала на командора с почтением и внимала каждому его слову, хотя граф порой изрекал такое, что остальные голову ломали, пытаясь понять, что он вообще имел в виду. Критики, само собой, пытались подсуетиться и тут, но как-то быстро поутихли и отстали. И в самом деле, нелепо критиковать глыбу. Она есть, и все тут.

В сущности, между первым классом табели о рангах, которую занимал граф Толстой, и всеми остальными лежала пропасть. Позже станет ясно, что преодолеть ее смог только молодой доктор Чехов, больной чахоткой, — фигура в некотором роде уникальная, потому что он поднялся из самого литературного болота, из тех самых авторов юмористических рассказов, которых презирали и которым недоплачивали. Это сейчас все смешалось в доме

Облонских, и в юмористические авторы (которые теперь пишут для эстрады и телевидения, а не для газет) черта с два пробьешься. А тогда...

Тогда, стало быть, имелся граф Толстой, затем — куча известных авторов разного значения, еще большее количество авторов неизвестных и незначительных и, наконец, необъятное множество примкнувших к словесности бедолаг, которые кое-как перебивались сочинительством, потому что «надо же на что-то жить». Но даже среди писателей успешных драматурги стояли особняком и держали себя, как какие-нибудь маршалы.

Пьеса, вообще говоря, вещь очень удобная. Автор ее пишет, театр ставит, и не один раз. Потом ставит другой театр, затем третий, и так далее — при условии, конечно, что пьеса интересная и того стоит. Театров в России много, актеров — и того больше, а с каждого представления автору причитается вознаграждение. Коротко говоря, раз в год пиши по одной приличной пьесе, а в остальное время можешь жить припеваючи. К тому же пьеса, как сказал классик, сочиняется легко: слева обозначаешь, кто говорит, справа — что сказано, начинаешь с начала, заканчиваешь концом, и дело в шляпе.

Эх, если бы на практике все было бы так же просто и логично, как в теории, то знаменитый драматург Никанор Семенович Щукин не грыз бы свое перо, мучительно раздумывая над ускользающей от него фразой. Что-то вообще не ладилось сегодня с самого утра: кухарка пересолила простейшее блюдо, кофе убежал, младший ребенок свалился с простудой, и только необъятная супруга Никанора Семеновича была совершенно здорова, как, впрочем, и всегда.

Где-то за дверями глухо тявкнул звонок, послышались мелкие семенящие шажки горничной. Голоса: мужской, женский, потом к ним присоединился еще один, тоже женский и удивленный. Никанор Семенович мотнул головой, словно отгоняя муху, и попытался сосредоточиться, но это ему не удалось. Заскрипели половицы, и он понял, что жена стоит у двери, что она шла на цыпочках, чтобы его не потревожить, и это, не понятно отчего, его разозлило.

— Я занят! — рявкнул он, едва дверь начала робко приоткрываться. — Я работаю, неужели нельзя понять? В конце концов, сколько можно беспокоить...

Но тут он увидел какое-то новое, странное выражение на женином лице, и не докончил фразу.

— Никанор, — промолвила супруга взволнованным басом, — там полиция.

Сердце драматурга разом ухнуло в какой-то ледяной мешок, или не мешок, а колодец, поди разбери, — словом, провалилось куда-то, и ощущение от этого было самое неприятное.

— Что т-такое? — пролепетал Никанор Семенович, покрываясь пятнами.

— Из полиции, — бормотала супруга, судорожно сжимая и разжимая пальцы. Кулачищи у нее были как у заправского борца. — Говорит, что ему нужно с тобой поговорить и это очень, очень срочно...

Никанор Семенович приподнялся с места, но тотчас же обмяк и опустился на сиденье.

— Проси, — каким-то чужим голосом велел он.

Через минуту в его кабинете материализовался полицейский — учтивый и печальный молодой человек с пронизывающим взором светло-серых глаз. Едва увидев гостя, Никанор Семенович понял, что все пропало.

— Чему обязан?.. — пробормотал он после обычного обмена приветствиями. Во рту у драматурга пересохло, и каждое слово давалось ему с трудом.

Гиацинту было достаточно увидеть выражение лица собеседника, чтобы понять, что тот находится в состоянии, близком к панике. Но не только это не понравилось столичному сыщику. Дело в том, что Никанор Семенович превосходнейшим образом подходил под описание таинственного посетителя, который, по мысли Амалии Корф, зарезал Ольгу Верейскую. Высокого роста, широкоплечий, чернобородый, и вдобавок физиономия самая что ни на есть интеллигентная. От такого, конечно, не будешь ждать, что он ткнет тебя ножиком, так что он действительно мог застать бедную жертву врасплох.

— А вы не догадываетесь, Никанор Семенович? — вопросом на вопрос ответил сыщик.

Ему было любопытно, как поведет себя драматург, услышав эту многозначительную и, прямо скажем, зловещую реплику, и Никанор Семенович не обманул ожиданий Леденцова. Хозяин дома собирался что-то сказать, но внезапно покачнулся и, откинувшись на спинку кресла, потерял сознание.

Тут Гиацинт крепко призадумался. Не скрою, самолюбивому сыщику было даже до какой-то степени обидно, что решение задачи оказалось настолько простым. Если Никанор Семенович вчера убил любовницу, а теперь испугался разоблачения и фактически выдал себя, для него все кончено. Главное, не дать ему собраться с мыслями, чтобы он не вздумал все отрицать.

— Никанор Семенович! Милостивый государь!

Но милостивый государь молчал, не подавая признаков жизни, и Гиацинт рискнул легонько похлопать его по щекам. Издав слабый стон, драматург открыл глаза.

— Боже... боже! — застонал Никанор Семенович, ворочаясь в кресле, как поверженный гигант. — Какой позор... Какое несчастье!

— Я жду объяснений, — промолвил сыщик стальным голосом, и глаза его сверкнули опять-таки стальным блеском.

— Вам непременно нужно ворошить эту историю? — Никанор Семенович скривился, как от физической боли. — Хорошо! Признаюсь! Да, я преступник... то есть можно сказать, что я преступник, потому что я настаиваю на том, что своими действиями я никому не нанес урона...

— Это смотря с какой стороны поглядеть, милостивый государь, — хладнокровно заметил Леденцов.

— Господи боже мой! Да ведь он живет во Франции, с французами у нас конвенции нет... ведь нет же литературной конвенции? Значит, я ничего не нарушал! И что ему, в конце концов, что я... ну... переписываю, то есть... перерабатываю... одним словом...

— Вы не могли бы объяснить подробнее? — мрачно спросил Гиацинт, который уже понял, что речь пойдет вовсе не об Ольге Верейской и не о том, что произошло в Фонарном переулке.

— У меня дети, поймите! — пылко вскричал автор. Косматая борода его стояла дыбом. — Трое детей... жена... одни платья чего стоят! Ну, взял пьесу этого француза... перелицевал ее... грешен, каюсь! А что прикажете делать, если пишешь свое, оригинальное, а оно никому не нужно... Пять представлений, и сняли с афиши! Ведь это же свинство!

Тут, признаться, Гиацинт Христофорович ощутил легкую слабость в ногах, но выдавать ее не стал и, попятившись, поспешно сел.

— Так вы...

— Да! Грешен, батенька, грешен! — пылко признался автор. — Переписал я одну французскую пьеску, поставил свое имя... и что вы думаете? Полный успех! Критики кричат, что ничего оригинальнее я не сочинял... Антрепренеры рвут на части! Все актеры тотчас же стали набиваться в друзья, я уж не говорю об актрисах... — Он умолк и опасливо покосился на дверь.

— Так вы — плагиатор? — печально спросил Леденцов.

— Ну зачем же так сразу, сударь, — забормотал сконфуженный Никанор Семенович. — Ну, конечно, вдохновился... так сказать... более, чем следует... Но вы не думайте, я не подряд все переписываю. Я и героям даю другие имена, и кое-что меняю в сюжете, и вообще... серьезно перерабатываю...

— И сколько раз вы так перерабатывали чужие пьесы? — поинтересовался безжалостный Гиацинт.

— Сколько? Гм... Ну, может быть, два или три... — Сыщик недоверчиво покачал головой. — Ну хорошо, не меньше десятка! — рассердился автор. — И что с того? Вон Шекспир, уж на что гений, тоже таскал свои сюжеты отовсюду... Кто-нибудь зовет его плагиатором? Да никто! Все только и талдычут: великий, великий... непревзойденный! — уже злобно добавил Щукин, дергая щекой. — И надо же было такому случиться, что моя последняя пьеса... что он тоже!

— Вы и Шекспира обокрали? — поднял брови сыщик. — Однако...

— Да при чем тут Шекспир, — вспылил Никанор Семенович, — это все подлец Зыков подсуетился! Как будто вам не известно... Я свою последнюю пьесу свистнул у Сарду, так ведь не я один такой умный... Зыков тоже свою у него свистнул! А Поликарп Аполлонович — это директор театра — удивился, отчего наши пьесы так похожи... вплоть до некоторых реплик... А Зыков, знаете, такой наглец... Из молодых да ранних! Я его пожурил: что ж вы, милостивый государь, себе позволяете, а он мне в ответ — тебе, папаша, вообще лучше молчать... жулик ты первостатейный, про твои фокусы в полицию нужно доложить! Я, говорит, человек маленький, но в газетах все про твою театральную деятельность пропечатаю и куда надо дам знать, что пьесы твои все ворованные... Как будто я ворую! — продолжал Щукин, оскорбленный до глубины души. — Это ж работа... перевести с французского, да на русский лад переделать, да убрать всякие вольности, за которые у нас цензура съест живьем... Никакого отдыха!

Гиацинт слушал и дивился. Значит, Никанор Семенович, драматург с именем, уважаемый человек и даже почетный член каких-то там университетов, на самом деле обыкновенный воришка, без зазрения совести таскающий чужие произведения и выдающий их за свои. И что-то подсказывало Леденцову, что Зыков только сгоряча пообещал разоблачить Никанора Семеновича, а на самом деле тот так и будет передирать чужие пьесы, получать за них большие деньги и жить припеваючи в этом большом красивом доме с окнами, выходящими на Неву.

— Не погубите, сударь, — заискивающе промолвил драматург и полез в ящик стола за деньгами, дабы умилостивить грозного посетителя. — День и ночь тружусь, аки пчела, а чертовы французы еще такие реплики придумывают, что даже не поймешь, что к чему... нет бы попроще написать, чтобы легче было переводить...

— Я, собственно, не по этому поводу, — сказал сыщик больным голосом.

Никанор Семенович замер.

— Как — не по этому?

Его короткая шея побагровела, он недоверчиво уставился на своего посетителя.

— Я пришел расспросить вас об Ольге Николаевне Верейской, — промолвил Гиацинт, доставая записную книжку. — Вы ведь знакомы с ней, не так ли? И весьма коротко.

Судя по выражению лица драматурга, его так и подмывало выругаться.

— При чем тут Ольга Николаевна... Ну хорошо. Допустим, я действительно ее знаю...

— Речь идет о серьезном преступлении, — уронил сыщик. — Поэтому на вашем месте я не стал бы ничего скрывать.

— Вы не на моем месте, — тотчас же ощетинился Щукин. Он был раздосадован, что сгоряча открыл свою позорную тайну постороннему лицу, и ощущал себя крайне неловко.

— В таком случае я могу арестовать вас и препроводить в участок для допроса, — любезно ответил Гиацинт. — Вы предпочитаете беседовать там?

Тут Никанор Семенович окончательно убедился в том, что сегодня фортуна демонстративно повернулась к нему филейной частью и, что бы он ни предпринял, все будет наперекосяк.

— Простите, — пробурчал он, — я понятия не имел об Оле... Ольге Николаевне. И вообще, я больше недели с ней не встречался...

— Мне нужны подробности, — сказал сыщик. — Прежде всего, как давно вы с ней знакомы?

— Как давно? — Никанор Семенович поднял глаза к потолку. — Лет пять, наверное. Она играла в театре, я писал пьесы... обычное дело.

— То есть вы были знакомы с ней еще до Дмитрия Ивановича Чигринского?

— Разумеется.

— Простите, но я вынужден задать этот вопрос. Насколько серьезными были ваши отношения с Ольгой Николаевной?

— Они не были серьезными, — с убийственной писательской точностью ответил Никанор Семенович. — Но постоянными.

— Поясните, — тихо попросил Гиацинт.

— Мы виделись два-три раза в месяц. Иногда реже, иногда немного чаще. Оля... Ольга Николаевна очень мила, но я давно понял, что она меня не любит. Ей хотелось, чтобы я сочинил для нее пьесу. Ей наскучило жить в золотой клетке, которую для нее соорудил Чигринский.

— Он был против того, чтобы она играла?

— По-моему, ему было все равно. То есть он ей не запрещал. Мне кажется, ей самой уже не хотелось учить текст, репетировать, вообще утруждать себя. Но тем не менее она была уверена, что, если для нее напишут пьесу — только для нее, — она сумеет блеснуть. Строго между нами, все это вздор. Оля очень милая женщина, но у нее неподходящий голос для сцены, слишком тонкий, и если уж честно, таланта ни на грош.

— Скажите, где именно вы с ней встречались? У нее дома?

— Нет. Для наших встреч она снимала небольшую квартиру — сначала на Казначейской, потом на Конногвардейской.

— Рядом с казармами лейб-гвардейского полка? — быстро спросил Гиацинт.

— Совершенно верно.

— Вы были в курсе ее дел? Она не жаловалась, что кого-то боится, что ей кто-то угрожает?

— Кто мог ей угрожать? — изумился драматург. — Это нелепо!

— Подумайте как следует, Никанор Семенович. Это очень важный вопрос.

— С ней произошла какая-то беда? — мрачно спросил Щукин.

— К несчастью, да. У вас есть какие-либо соображения по этому поводу?

— Никаких. То есть я ровным счетом ничего не понимаю. — Никанор Семенович беспомощно пожал плечами. — Кто мог ее обидеть? Чигринский? Да ну, вздор. Он на такое не способен.

— А ваша супруга не могла ее приревновать?

— Моя жена? — Драматург, казалось, изумился еще пуще. — Нет, это невозможно!

— Но она знала о ваших отношениях с Ольгой Николаевной? Да или нет?

— Не надо сочинять какую-то драму, пожалуйста, — с болезненной гримасой промолвил Щукин. — Я человек творческий... то есть... Ну да, у меня бывают увлечения. Но это не значит, что я собираюсь делать глупости... уходить из семьи и тому подобное. Я ясно выражаюсь?

— Яснее некуда, — кивнул Леденцов. — Можно еще один вопрос? Вы любили Ольгу Николаевну?

— Любовь, любовь, — проворчал драматург, явно чувствуя себя не в своей тарелке. — Я, сударь, все-таки не мальчик, в самом деле... Я хочу сказать... гм... Как бы это выразиться? Словом, Ольга Николаевна очень мила... и была готова на все услуги. Мужчина в таких случаях мимо не проходит... Да! — неизвестно к чему глубокомысленно закончил он.

И, словно показывая, что тема исчерпана, взял со стола том на французском — с очередной пьесой, которую собирался присвоить, — и углубился в чтение.

— Скажите, где вы были вчера вечером? — спросил Гиацинт.

— А?

Сыщик повторил свой вопрос.

— Да здесь же, — нетерпеливо ответил Щукин. — Возился тут... с этой ерундистикой... Скажите, вы французский знаете? У меня тут персонаж fait la cour... гм... Фэ — значит, делает. Кур — значит, двор. Ничего не понимаю... Двор он героине вымостил, что ли? Так он вовсе не строитель... И с героиней едва знаком... Делать двор... двор... Со вчерашнего дня я застрял на этой фразе — и ни туда, ни сюда... Провожать до двора? Странно как-то...

Гиацинт закрыл записную книжку и поднялся.

— Он за ней ухаживает, — сказал сыщик.

— Что? — подпрыгнул Никанор Семенович.

— Faire la cour — в переводе с французского означает «ухаживать».

— Голубчик вы мой! — в экстазе вскричал драматург. — Благодетель! Точно... А я-то думаю — что такое знакомое? Ухаживать... строить куры! Слава те господи... разобрался наконец!

Дело сдвинулось с мертвой точки. Буржуа Филипп, превращенный в Архипа Никодимыча, ухаживал за кокоткой Элен, ставшей купчихой Настасьей Петровной. Французская пьеса обрастала русским колоритом, и прислуга уже вовсю носила самовары и разливала чай. Декорация изображала помещичий дом и березки вместо парижской квартиры. Внутренним взором Никанор Семенович видел полные ложи бенуара и бельэтажа, рукоплещущих студентов в райке и благосклонные рецензии в газетах. Трехзначные гонорары множились и на глазах превращались в четырехзначные. Драматург творил, вдохновенно передирая у французского собрата мизансцены и львиную часть диалогов, и даже не заметил, как за его гостем закрылась дверь.

ГЛАВА 16

СЛУГИ

Пока сыщик Леденцов продирался сквозь дебри российской словесности, населенные фантомными гениями, Амалия предприняла поездку на Фонтанку, где собиралась поговорить с Соней Харитоновой.

Баронесса Корф успела как раз вовремя, потому что горничная собиралась снова ехать в Фонарный переулок и требовать у хозяйки расчет и рекомендацию. Тут в голову Амалии пришла спасительная мысль.

— Я заплачу вам вместо Ольги Николаевны, — сказала она. — Кажется, она должна вам за месяц?

Соня сначала удивилась, потом обрадовалась и объявила, что хозяйка должна ей меньше, за три недели.

— А как же рекомендация? — несмело спросила горничная. — Мне же никак нельзя без рекомендации...

— С Ольгой Николаевной произошло несчастье, она не сможет вам написать рекомендацию, — сказала Амалия. — Собственно говоря, поэтому я вас и искала. Мы можем поговорить?

Женщины вышли на набережную Фонтанки и двинулись медленным шагом вдоль реки. На круглом миловидном лице Сони было написано живейшее любопытство, она явно не понимала, что такого могло приключиться с ее хозяйкой.

— Скажите, Соня, сколько вы работали у Ольги Николаевны?

— Пять месяцев, — подумав, ответила девушка.

— И как она вам?

— Хозяйка как хозяйка, — осторожно ответила горничная. Но тут же ее прорвало: — Знаете, нельзя сказать, чтобы она злая была. Но вредная — это точно.

— Придиралась?

— День-деньской, сударыня. И самое обидное, что без всякого повода. Просто она постоянно была не в духе, ну и...

— А почему она была не в духе? У нее же вроде бы все хорошо было.

— Вот и я удивлялась, сударыня. Дмитрий Иванович — такой человек известный, души в ней не чаял... И другие... — Соня сконфузилась и замолчала.

— Так что с другими, Соня? Ну же, договаривайте, коли начали...

— А что тут говорить? — смущенно отозвалась горничная. — Ни во что она бедного Дмитрия Ивановича не ставила. То есть она притворялась, что любит его, а сама, только он за порог, сразу же к своему военному — шасть!

— Значит, у нее был военный?

— Да, сударыня. Молодой, красавец... ну просто картинка. Правда, влетал он ей в копеечку... он же из бедной семьи. Ну вот... Дмитрий Иванович ей деньги давал, да еще какой-то, по-моему, у нее был, тоже не скупился... А она на эти деньги своего военного содержала.

— Откуда вам это известно, Соня?

— Откуда? — потупилась горничная. — Да что уж там, сударыня... Она со свиданий с ним приходила, вся сияла, и уже ко мне не придиралась... даже вещи свои дарила, и почти не ношеные... Она вообще не злая была, но, наверное, не очень счастливая. Да... Она, конечно, скрывала, что да как, но я как-то вышла за покупками, вижу, едет в карете с молодым корнетом... смеется... И тут она меня увидела. Ох, зря я на глаза ей попалась. Она же думала, что все шито-крыто и мне ничего не известно... А деньги — ну ясное дело, когда Дмитрий Иванович дает много денег, а потом в доме ни копейки, хотя ничего ровным счетом не покупали... Все потому, что господа военные очень карты любят, наверное.

— Из-за того, что вы ее увидели, Ольга Николаевна и решила вас уволить?

— Я думаю, да, сударыня. Она меня обвинила, будто я тайком вино пью. А я к спиртному не притрагиваюсь, ничего, окромя чая, не потребляю. Но ее тоже понять можно, — задумчиво добавила Соня. — Она, наверное, боялась, что я ее Дмитрию Ивановичу выдам.

— А ему бы это не понравилось?

— Конечно!

— И он мог сделать с ней что-нибудь дурное?

— Дмитрий Иванович? Да нет, господь с вами! Я думаю, он мог лишить ее содержания, а как раз этого она боялась больше всего. Она мне говорила, что привыкла к хорошей жизни, не то что раньше, когда ей приходилось в театре всем угождать...

— Соня, а Ольга Николаевна ни на кого не жаловалась? Что ей угрожают, например, или что-то вроде того... Может, у нее были враги?

— Да нет, не припомню я ничего такого... И врагов у нее не было, не такой она человек.

— Вы не знаете, кому она писала недавно письмо?

— Письмо? Дайте-ка подумать... Она вообще не любила письма писать. Дмитрий Иванович над ней смеялся, что она твердые знаки в конце слов не ставит и путает е с ять... вот поэтому она редко кому писала. По-моему, я видела у нее на столе письмо матери. Ее мать в Твери живет, она вдова, шляпную лавку держит...

— Вы отнесли это письмо на почту?

— Нет. Она как раз позавчера меня выгнала, ну, я собрала свои вещи и ушла.

— А о чем она писала, вы, случайно, не знаете?

— Нет, сударыня.

— Как Ольга Николаевна вела себя в последние дни? Может, в ее поведении было что-то необычное? Подумайте хорошенько, это очень важно.

— Да ничего необычного не было, — с удивлением ответил Соня. — Я ж говорю: вышла за покупками, а тут она в экипаже катит со своим корнетом... Ох, как она на меня зыркнула! Я уже тогда почувствовала, что она мне этого не простит... Когда хозяйка вернулась домой, я попыталась ее убедить, что не выдам ее, но по ее глазам я видела, что она мне не верит... Вечером она вроде бы оттаяла, немного поиграла на пианино, говорила, что очень дорожит Дмитрием Ивановичем... этак, знаете ли, с подковыркой: сказала и смотрит на меня. Потом говорила что-то про театр... хотела пойти на какое-то представление... И сказала мне, что она встретила на улице знакомого. Я ей повторила, что это не мое дело... а Ольга Николаевна так пристально на меня глянула и объявила, что я ничего не понимаю. На следующий день хозяйка меня вызвала и сказала, что она не потерпит пьянства и что я уволена.

Амалия задала еще несколько вопросов, но, как она ни пыталась подобраться к главной теме — кто мог желать Ольге Николаевне зла, — Соня настаивала на том, что ее хозяйка была не такая. Да, придиралась, была излишне влюбчива, но... зла на нее никто не таил и врагов у нее не имелось.

— Мужчины к ней заходили?

— Кроме Дмитрия Ивановича — никто. Я однажды видела у нее счет за другую квартиру, на Конногвардейской. Думаю, она там и встречалась... с другими поклонниками.

— Вы не знаете, среди ее знакомых был мужчина крепкого сложения, с черной бородой?

Но Соня объявила, что ей ни о ком таком неизвестно, а что до корнета, то он был без бороды и вообще просто душка.

Попрощавшись с горничной, Амалия села в наемный экипаж и отправилась на Гороховую, где жил композитор. Ей было любопытно, что смогут рассказать ей слуги Дмитрия Ивановича.

Дверь открыл взволнованный Прохор, и Амалия с опозданием вспомнила, что композитор не показывался дома со вчерашнего дня, так что у слуг были все основания встревожиться.

— Дмитрий Иванович находится сейчас у своих знакомых, — сказала она. — С ним все в порядке, так что можете не беспокоиться.

— О! — Прохор с облегчением выдохнул. — Госпожа баронесса, вы сняли с моей души тяжкий груз... А то мы уж не знали, что и думать!

Тут, признаться, Амалия слегка переменилась в лице. Она-то была уверена, что в простой одежде ее никто не признает.

— Мне надо с вами поговорить, Прохор Матвеевич, — сказала она. — Только чтобы наша беседа осталась строго между нами.

Слуга объявил, что он целиком и полностью к услугам баронессы Корф, и собеседники перешли в гостиную с роялем. Осмотревшись, Амалия сразу же поняла, что комната используется исключительно для парадных целей. «Интересно, где он сочиняет свои мелодии? Наверное, в каком-нибудь просто обставленном кабинете, и инструмент там стоит гораздо более скромный...»

— С Ольгой Николаевной Верейской произошло несчастье, — сказала Амалия вслух.

Прохор застыл на месте.

— Большего я пока сказать не могу, но положение очень серьезное. Скажите, у вашего хозяина есть враги?

— Каких именно врагов вам угодно иметь в виду? — почтительно спросил Прохор. — Потому что враги, знаете ли, бывают разные. Одни гадости в газетах пишут, другие говорят, что Дмитрий Иванович человек несерьезный, потому что не сочиняет балетов, третьи и вовсе не прочь его зарезать, но чтобы их к ответу не привлекли...

— Меня интересует третья категория, — объявила Амалия.

— Так половина российских композиторов об этом мечтает, госпожа баронесса.

— Так-таки половина? А Дмитрий Иванович был уверен, что у него нет врагов.

— Дмитрий Иванович слишком добр, — замахал руками слуга. — И я, пожалуй, тоже погорячился, когда сказал насчет половины. Три четверти, вот так будет вернее.

— О! — только и могла вымолвить Амалия.

Судя по всему, слуга Чигринского придерживался о своем хозяине самого высокого мнения, раз почти всех коллег записал в его враги.

— Зависть, зависть и еще раз зависть, — печально промолвил Прохор, свесив голову. — Нет, при встрече, конечно, все эти господа улыбаются, пожимают руки и справляются о здоровье. Но на самом деле они его ненавидят.

— Допустим, — сказала Амалия. — Нас интересует господин с черной бородой, крепкого сложения. Кто-нибудь из недругов Дмитрия Ивановича подходит под это описание?

— Илларион Петрович Изюмов, — тотчас же ответил Прохор. — Он обыкновенно в Москве живет, но два или три дня назад приехал в Петербург.

— Ах, так он из Москвы? — протянула Амалия. — Скажите, Прохор, а вам, случайно, не знаком его почерк?

— Я видел пару раз его письма, госпожа баронесса, так что его руку признать смогу.

Амалия достала адресованное Ольге Николаевне письмо, подписанное «И», и предъявила его Прохору.

— Это он писал, — без колебания заявил слуга. — Никаких сомнений.

Ну и что прикажете говорить? Что Ольга Николаевна настолько мало дорожила композитором Чигринским, что сошлась с его злейшим соперником? И что Илларион Петрович так ненавидел своего коллегу, что зарезал их общую любовницу, чтобы обвинить Дмитрия Ивановича?

...А собственно, почему бы и нет?

— Скажите, а Илларион Петрович случаем не бывший военный? У него не сохранилось военной выправки?

— Военный? — удивился Прохор. — Что вы, сударыня! Он любого оружия до смерти боится, да и в армии никогда не служил. Не то что Дмитрий Иванович...

Н-да, не сходится. Хотя швейцар ведь мог ошибиться насчет выправки, да и попросту что-нибудь перепутать. Нельзя Иллариона Петровича сбрасывать со счетов, никак нельзя...

— Прохор Матвеевич, а как ваш хозяин относился к Ольге Николаевне?

— Как? Известно, как, сударыня. Хорошо относился. Для нее он ничего не жалел.

— Они не ссорились?

— Нет.

— Он не подозревал, к примеру, что она ему изменяет?

Прохор прикипел к месту и открыл рот.

— Мне об этом ничего не известно, сударыня, — наконец выдавил он. По его лицу было видно, что он был глубоко задет таким отношением к своему хозяину.

— А что бы Дмитрий Иванович сделал, если бы узнал о ее измене?

— Что? Гм... Он бы не обрадовался, я думаю.

— Он мог поднять на нее руку, например?

— На женщину? Никогда. — И тут слуга не выдержал: — Госпожа баронесса, что она все-таки натворила?

— Мы тоже пытаемся это понять, Прохор Матвеевич, — вздохнула Амалия. — Вы не знаете, у Ольги Николаевны были враги?

Но точно так же, как и Соню, этот вопрос поставил слугу в тупик. Для очистки совести Амалия допросила и кухарку Мавру, но убедилась только в том, что люди Чигринского готовы за него в огонь и воду и понятия не имеют, кто мог желать зла его любовнице.

С Гороховой Амалия возвращалась с чувством, близким к досаде. Расследование топталось на месте, и самым поразительным было то, что никто, ни один человек, не мог назвать внятной причины, по которой кто-то пожелал избавиться от Ольги Верейской.

«Ее убили и, возможно, унесли письмо, хотя она сама могла его отправить... Просто наклеила марку и бросила в ящик. Но при чем тут вообще какое-то письмо? Что такого в нем могло быть? В убийстве сразу же обвинили Чигринского... значит ли это, что несчастная Ольга Николаевна была выбрана лишь потому, что имела отношение к композитору? Профессиональная зависть... нет, господа, для зависти это как-то чересчур, что бы там ни говорил слуга... Тут нечто более серьезное, но что? Не умалчивают ли о чем-то горничная и швейцар? Да нет, они вроде бы откровенно отвечали на все вопросы... Может быть, Ольге Николаевне не хватало денег на ее корнета, и она решила заняться шантажом? Кого? Драматурга Щукина, который женат? До чего же муторное, неприятное дело...»

ГЛАВА 17

КОРНЕТ И ФЛИГЕЛЬ-АДЪЮТАНТ

Покинув воспрянувшего духом плагиатора, дотошный Гиацинт на всякий случай учинил самый тщательный допрос его жене и прислуге. Все сходились в одном: вчера вечером как Никанор Семенович, так и его половина были дома, не злоумышляли против Ольги Николаевны и вообще чисты, как младенцы, — если, конечно, не считать ворованных переводных пьес.

— Скажите, сударыня, а вы знали об Ольге Николаевне? — не удержался молодой сыщик.

Госпожа Щукина поджала губы.

— Я, право, не понимаю, что вы хотите от меня услышать... Вокруг моего мужа столько вертихвосток... актрисы... начинающие писательницы, которые хотят сочинять для театра... Не могу же я на всех них обращать внимание, в самом деле! Мой муж талантливый человек... а талант встречается так редко...

— Неужели? — спросил Леденцов со страдальческой улыбкой. Он положительно не понимал, как можно именовать талантливым того, кто ворует чужое без зазрения совести.

Его собеседница сердито запыхтела, как паровоз.

— О! Вы о пьесах? Ну что ж... Эти никчемные французы должны быть рады, что их комедии вообще кому-то нужны... И потом, взять хотя бы Шекспира... Вот уж кто никогда не утруждал себя поиском оригинальных сюжетов!

«Дался им этот Шекспир! — с досадой подумал сыщик, уходя от Щукиных. — Послушать все эти ничтожества, так единственное предназначение великого драматурга — оправдывать их собственные грешки...»

Путь Гиацинта лежал на Конногвардейскую улицу, возле которой расположены казармы лейб-гвардейского конного полка. Чутье, дедукция, здравый смысл и прочие качества подсказывали Леденцову, что корнет Владимир Павлов должен находиться где-то поблизости. Весь вопрос был в том, пожелает ли он говорить с полицейским.

Машинально Гиацинт Христофорович отметил, что за ним уже некоторое время медленно движется карета, и насторожился. Он вспомнил, что видел эту карету и раньше, когда они с Амалией возвращались из дома Ниндорф, но тогда не обратил на экипаж внимания.

Весь подобравшись, Леденцов незаметно сунул руку в карман, в котором носил револьвер. В следующее мгновение карета остановилась, и из нее вышел военный с флигель-адъютантским вензелем. Вид незнакомца, бог весть отчего, Гиацинту сразу не понравился.

— Милостивый государь! Задержитесь, пожалуйста.

Сыщик отступил к стене, но руку от револьвера не убрал. Все происходящее ему, по правде говоря, жутко не нравилось.

— Чем это вы занимаетесь? — строго спросил военный.

— Милостивый государь, — отозвался Леденцов, чувствуя, как внутри него все закипает, — я не ваш подчиненный и отвечать на этот вопрос не намерен.

— Я барон Корф, флигель-адъютант его императорского величества, — отрезал военный. — Что это Амалия Константиновна опять придумала? Я видел ее с вами, так что не вздумайте отпираться, — добавил он строго.

— Мы ведем расследование.

— Расследование? Так вы полицейский?

Леденцова так и подмывало ответить «так точно», причем самым дерзким и непочтительным тоном, но он вовремя опомнился и сказал, что по долгу службы...

— Как будто ей мало... — начал барон, но осекся и внимательно посмотрел на сыщика. — Хорошо, пусть так. Куда вы направлялись, если не секрет?

— Я ищу корнета Павлова. Владимира Павлова. — И Леденцов пересказал то, что ему было известно об этом молодом человеке.

— Никто из гвардейцев даже не станет с вами разговаривать, — заметил Корф.

— Тогда мне придется вызвать его на допрос.

— И вы не получите ничего, кроме неприятностей, — усмехнулся его собеседник. — Нет, так не годится. Едем!

— Куда?

— В казармы. Я знаю их полковника, так что он убедит молодого человека быть с вами откровенным. Что он натворил, кстати?

Леденцов замялся.

— Разумеется, речь идет об убийстве, — пробормотал Корф, передергивая плечами. — Ничто меньшее Амалию не заинтересует... Ладно, садитесь. Посмотрим, что я смогу для вас сделать.

Гиацинт не заставил себя упрашивать, и через несколько минут они были уже возле казарм. По пути сыщику пришлось вкратце рассказать Александру Корфу, в чем, собственно, дело.

— Ждите меня здесь, — распорядился барон и ушел.

Ожидание затянулось. Чтобы размять ноги, Леденцов вышел из кареты и от нечего делать стал рассматривать здания казарм. Ворота явно были недавно покрашены и находились в образцовом порядке, но немного дальше ограда уже осыпалась, и сами строения имели вид казенный и неуютный. Прошли несколько солдат, ведя в поводу лошадей, и одна из них была такой невероятной красоты и грациозности, что Леденцов залюбовался. Но тут он увидел, как возвращается барон Корф, и все посторонние мысли тотчас же вылетели у него из головы.

— Корнет Павлов сейчас будет, — лаконично промолвил Александр, подойдя к сыщику.

— Что он вообще за человек? — не удержался Гиацинт.

— Он-то? — Барон рассеянно обдернул перчатки. — Круглый сирота. Опекун растратил все его состояние и умер. Владимир Сергеевич попал в конную гвардию... что еще? Начальство о нем отзывается только с положительной стороны. Амалия, конечно, сочла бы это очень подозрительным, но похоже, что его действительно не в чем упрекнуть.

— В самом деле?

— Ну, разумеется, у него есть свои недостатки. Полковник в частной беседе дал мне понять, что корнет — человек слабохарактерный и дает увлечь себя карточной игрой больше, чем позволяют его средства. — Александр Корф бросил быстрый взгляд на своего собеседника. — На всякий случай я позаботился навести справки о том, где он был вчера вечером. Тогда как раз была его очередь дежурить, и он никуда из казарм не отлучался. Похоже, это все-таки не тот, кто вам нужен.

Из ворот казарм вышел высокий, темноволосый юноша и зашагал к карете. Когда он приблизился, Леденцов увидел, что у корнета Павлова симпатичное, открытое лицо со слегка смазанными чертами. Глуповатое, мысленно добавил сыщик, когда Владимир подошел еще ближе, и, пожалуй, приторное, хотя женщинам такой тип внешности определенно должен нравиться. Карие глаза улыбались — без всякой причины, просто, вероятно, от избытка молодости и из-за того, что в воздухе наконец-то стало веять весной.

171

— Чем могу служить, ваше превосходительство? — спросил молодой человек, отдав честь барону.

— У господина сыщика к вам несколько вопросов, — сказал Александр. И, сочтя, очевидно, что дальнейшие объяснения ни к чему, демонстративно отошел и сделал вид, что его тут нет. (Впрочем, его присутствие ощущалось бы, даже если бы он отодвинулся еще дальше.)

— Господин... э... — Павлов повернулся к сыщику, и, хотя молодой человек явно был хорошо воспитан, в голосе его зазвенела легкая насмешка.

— Леденцов. Вам знакома Ольга Николаевна Верейская?

Корнет тотчас же перестал улыбаться.

— Предположим, а в чем дело?

— Вы хорошо ее знали?

— К чему эти расспросы, господин Леденцов? — высокомерно осведомился молодой человек. — Простите, но я не имею привычки обсуждать своих знакомых женского пола.

— Придется, потому что с Ольгой Николаевной произошло несчастье.

Павлов смерил Леденцова недоверчивым взглядом.

— Несчастье? Вы меня интригуете, господин сыщик...

— Не вижу в этом ничего смешного, — холодно сказал Гиацинт, которому не понравился тон молодого повесы.

— Где она?

— Простите?

— Если с ней что-то произошло, я хочу ее увидеть. Так где она?

— Боюсь, я...

— В какой она больнице? Она сильно пострадала? Что с ней вообще такое?

— Она не в больнице. Успокойтесь, сударь.

— Где она? Я должен ее увидеть! — Владимир повысил голос.

— Вы не можете ее увидеть.

— Но почему, почему?

— Потому что она умерла. Но пока я попрошу вас никому об этом не говорить.

— Умерла? — Павлов провел рукой по лицу. — Безумие какое-то. Как? Когда?

— Вчера. Мы расследуем ее гибель, и я желал бы получить ответы на некоторые вопросы. У Ольги Николаевны были враги?

— Враги? — вяло переспросил Владимир. Лицо у него словно разом постарело — настолько болезненно он воспринял весть о гибели молодой женщины. — Да нет, какие враги...

— Вы уверены?

— Господи, я... Чего вы от меня хотите?

— Правду. Вы хорошо знали Ольгу Николаевну?

— А вы как думаете?

— Вы были в курсе ее жизненных обстоятельств? Она ни на кого не жаловалась, не говорила, что ей кто-то угрожает?

— Нет. Ничего такого я не помню.

— В последние дни вы часто с ней виделись?

— Я видел ее только позавчера... нет, три дня назад, — хрипло признался молодой человек. — Почему она умерла?

— Ее убили.

— Боже мой! Кто?

— Вот это я и пытаюсь выяснить. Скажите, вы не помните ничего странного, ничего необычного в ее поведении?

— Нет. Она была такая же, как и всегда.

— И три дня назад тоже?

— Да. Мы поехали кататься... Светило солнце. Я держал ее за руку... — Он смутился и замолчал.

— Значит, ничего?

— Ничего.

— Вы с ней часто ссорились?

Однако корнет не попался в эту маленькую ловушку.

— Мы вообще не ссорились. Кто вам сказал такую глупость?

— Вы знали, что у нее есть другие?

— Другой. Композитор Чигринский. Да.

— И что вы об этом думали?

— Я разорен, — мрачно ответил Павлов. — Мерзавец-опекун пустил мое состояние по ветру, прохныкал, что он виноват передо мной, и благоразумно умер. А Оля... Она не смогла бы жить в нищете. И дать ей я ничего не мог. Ненавижу его песни, — неожиданно признался корнет. — Если б я мог, я бы вызвал его на дуэль... Он был ее недостоин, поймите!

— Он так дурно с ней обращался?

Владимир выпрямился, сверкнул глазами.

— Он был уверен, что ее купил. Его в жизни вообще ничто не интересует, кроме музыки. Оля говорила, что он страшный человек. Люди ему безразличны, главное — то, что он пишет... Я все время боялся, что он предложит ей выйти за него замуж и я окончательно ее потеряю. Но Оля смеялась, что она все равно не согласится, что с таким, как Чигринский, она умрет со скуки...

— А вы?

— Что — я?

— Что вы значили для нее?

— Я любил ее. И она меня любила.

Он сделал над собой усилие, чтобы прибегнуть к прошедшему времени. Любила... любила... А теперь ее больше нет...

— Вы встречались у нее дома?

— Я никогда там не был, чтобы ее не компрометировать. Она снимала для нас отдельное жилье здесь неподалеку, на Конногвардейской. Там мы и виделись тайком, когда мне удавалось освободиться.

— Вам неизвестно, был ли среди знакомых Ольги Николаевны мужчина лет тридцати, физически сильный, с черной бородой?

Павлов задумался.

— У нее нет таких знакомых, а Чигринский бороду не носит. И ему уже не тридцать.

— Подумайте еще раз, прежде чем ответить. Есть ли у вас какие-то соображения по поводу того, кто мог желать зла Ольге Николаевне?

— Я не знаю...

— Вы никого не подозреваете?

— Я не представляю, кто мог поднять на нее руку... Просто не представляю. Но если я его найду, — мрачно добавил Владимир, — ему не жить.

— Его? То есть вы полагаете, что это мог быть мужчина?

— Не знаю. Может быть.

Леденцов не стал настаивать, а только спросил:

— Ольга Николаевна делала вам подарки?

— Еще один вопрос, господин сыщик, — вспыхнул измученный корнет, — и я вызову вас на дуэль!

— Я спросил не просто так, Владимир Сергеевич. Потрудитесь все же ответить, если и впрямь хотите, чтобы убийца был найден.

— Да, она делала мне подарки, — с ненавистью ответил Павлов. — Это все?

— А в ближайшее время она собиралась вам что-нибудь подарить?

— Откуда мне знать? Может быть... на день рождения... У меня день рождения на следующей неделе.

Гиацинт достал из кармана золотую папиросницу и протянул ее корнету.

— Благодарю за откровенность. Полагаю, я могу отдать это вам. Вряд ли Ольга Николаевна была бы против...

Владимир храбрился из последних сил, но когда он развернул бумагу и увидел надпись на крышке, лицо у него дрогнуло. Теперь он был похож на обиженного большого мальчика и часто-часто мигал, чтобы не заплакать.

— Если вы вдруг что-то вспомните... — начал Леденцов. — Неважно что...

— Я найду вас, не беспокойтесь.

И он ушел быстрым шагом, расстроенный до того, что даже забыл отдать на прощание честь Корфу.

ГЛАВА 18

ПРЕСЛЕДОВАТЕЛЬ

— Дорогая, — сказала Аделаида Станиславовна, едва Амалия вернулась домой, — должна тебе сказать, что наш гость дурно влияет на Казимира.

По правде говоря, Амалия была уверена, что ни один человек на свете не способен повлиять на дядюшку, тем более в дурном смысле; скорее уж наоборот, сам Казимир мог кого угодно сбить с пути истинного. Баронесса Корф была озадачена и потребовала объяснений.

Получив их, Амалия отправилась искать композитора и обнаружила его в одной из комнат. Чигринский полулежал в кресле с бокалом коньяка, а Казимир, судя по его действиям, пытался раскурить сигару не с того конца уже потухшей спичкой. На столе были разбросаны сигарные коробки, тарелки и стояли пустые бутылки, количество которых поневоле наводило на размышления.

— А! Госпожа баронесса! — вскричал Дмитрий Иванович. — Позвольте, сударыня, припасть к вашим ногам...

— Ну припадайте, раз вам так хочется, — пожала плечами Амалия. Однако тон ее был таков, что Чигринский сразу же протрезвел.

— Я ужасно себя вел, Амалия...

Отчество, по своему обыкновению, он прочно запамятовал, и под пристальным взглядом своей собеседницы почувствовал, что неудержимо краснеет.

Воспользовавшись тем, что Амалия отвлеклась на гостя, Казимирчик сделал попытку незаметно улизнуть, но племянница сделала шаг в его сторону и преградила путь.

— Очень рад тебя видеть, — молвил неисправимый шляхтич со своей обычной доброжелательностью. — Надеюсь, тебе удалось все выяснить и... э... разъяснить, ко всеобщему удовлетворению.

Он покачнулся, произнося столь длинную фразу, и поспешно отступил к дивану.

— Дядя, — укоризненно сказала Амалия, — вы не стоите на ногах.

— Я-я-я не стою? — пролепетал дядюшка.

— Мне сказали, что вы тут устроили целый концерт! И пели...

— Гм, — решительно промолвил Казимир, приосанившись, — что-то я не припомню, чтобы законы империи не дозволяли петь у себя в доме...

— Да, но вы распевали польский гимн!

— Я?

— Запрещенный, — добавила Амалия.

— Послушай, — печально сказал Казимирчик, свешивая голову, — этого не может быть. Во-первых, я вообще не умею петь...

— Дядя!

— И потом, у меня болит горло. Какой гимн? — И он довольно правдоподобно кашлянул несколько раз.

— Позвольте, — всполошился Чигринский, — это что, я тоже пел польский гимн?

— Нет, — сурово сказала Амалия. — Вы аккомпанировали на рояле.

— А-а-ах!

— Это все настойка, — вздохнул Казимирчик. Он наконец заметил, что держит незажженную сигару, и аккуратно положил ее на стол — в тарелку, на которой прежде лежал салат. — Вот, допустим, коньяк или даже зубровка против нашей настойки — пфф! — Он нарисовал рукой в воздухе какое-то подобие облака, но неожиданно покачнулся и схватился за спинку стула, чтобы не упасть.

Тут у Амалии лопнуло терпение, и она позвала мать, а Аделаида Станиславовна вызвала слуг. Джентльменов не без труда развели по комнатам и стали приводить в порядок, а Машенька принялась убирать последствия дружеской пирушки, в которой участвовало всего двое — хотя грязи осталось столько, словно тут гулял десяток человек.

Вскоре прибыл барон Корф, который сообщил, что по дороге в особняк пересекся с Леденцовым и тот приедет, как только закончит опрашивать свидетелей. Однако у Александра был острый глаз, и от него не ускользнул ни беспорядок в доме, ни рассерженный вид Амалии.

— Надеюсь, Дмитрий Иванович по рассеянности не спутал ваш дом с трактиром? — чрезвычайно учтиво осведомился флигель-адъютант.

— Саша, — взмолилась Амалия, — только вы не начинайте, прошу вас!

— Бьюсь об заклад, вы уже жалеете, что вообще пустили его на порог, — добавил барон.

Его слова были куда ближе к истине, чем хотелось бы Амалии, и поэтому она поступила чисто по-женски: надулась.

— Дмитрий Иванович пережил вчера сильное потрясение, — сдержанно промолвила молодая женщина. Но даже она понимала, насколько шаток ее довод.

— Надо же, какой *потрясающий* человек, — съязвил Александр, который за годы своего пребывания при дворе научился любое, даже самое невинное замечание перетолковывать в самом ироническом смысле. — Почему бы вам просто не предоставить дело полиции? Пусть она разбирается, кто убил его любовницу, он сам или кто-то еще.

— Саша, вы просто невыносимы, — вздохнула Амалия. — Ужинать будем через час.

Гиацинт Леденцов явился еще до ужина и рассказал Амалии о том, что ему удалось узнать. В ресторане никто не помнил, кто именно звонил по телефону в тот вечер. Что касается тех, кто доставил конфеты и вино, то первый разносчик ушел от Ольги Верейской без нескольких минут четыре, второй — в начале пятого. Оба показали, что, когда они видели жертву, она находилась в квартире одна. Ничего подозрительного они, само собой, не заметили.

В ответ Амалия рассказала о беседе с Соней и со слугами Чигринского. Позже она отправилась на поиски композитора Изюмова, который остановился у сестры в особняке на Большой Дворянской улице. Однако Иллариона Петровича дома не оказалось, и Амалия ограничилась тем, что оставила ему приглашение на благотворительный вечер.

— Я навел кое-какие справки, — сказал Леденцов. — Изюмов вчера весь вечер был в театре. Каковы бы ни были его отношения с Ольгой Николаевной, убить ее он никак не мог.

Амалия задумалась.

— Нужно сосредоточиться на ресторане, — сказала она наконец. — И выяснить, кто оттуда звонил. Вот этим и следует заняться.

Но сыщик только печально покачал головой.

— Госпожа баронесса, я опросил всех, кого только можно... Никто так ничего и не вспомнил. Ресторан большой, мало ли кто мог подойти к аппарату и попросить соединить его с полицией...

— Это Петербург, а не пустыня, — парировала Амалия. — Хоть кто-нибудь должен был что-то заметить, хотя, может, и не обратил внимания. Вопрос только в том, как извлечь нужную нам информацию... Машенька!

— Да, Амалия Константиновна? — На пороге тотчас же показалась вышколенная горничная.

— Как там дядюшка, еще не умер?

— Нет, Амалия Константиновна!

— Пусть тогда приведет себя в порядок, он мне понадобится.

— Амалия Константиновна...

— Что, Машенька?

— Господин Чигринский собрался уходить. Я подумала, может быть, вы захотите знать...

— Куда это он собрался? — возмутилась Амалия.

Она догнала композитора уже внизу, когда он готов был нахлобучить на голову шапку.

Валерия Вербинина

— Дмитрий Иванович!

Чигринский вспыхнул. По правде говоря, единственной причиной его бегства стало то, что композитору было невыносимо стыдно за свое поведение. Нечего сказать, хорош гусь!

— Госпожа баронесса, — забормотал он, поспешно отступая, — клянусь... если потребуется... всю жизнь... но недостоин, ей-богу! Совершенно недостоин вашего общества...

— Дмитрий Иванович, — сердито сказала Амалия, — вы отдаете себе отчет в том, что снаружи вас может подстерегать все, что угодно? Если Ольгу Николаевну убили только для того, чтобы уничтожить вас...

Но Чигринский принадлежал к тем упрямым людям, которые если вобьют себе что-то в голову, то их уже нипочем с этой мысли не сдвинешь. Он рвался домой, к своему старому пианино, к Прохору, к ворчливой Мавре и к знакомому виду из окна. Там его любили и терпели в каком угодно виде; здесь же, наткнувшись, как на стену, на холодный взгляд явившегося к ужину флигель-адъютанта, Чигринский сразу же понял, что барон Корф терпеть его не будет и наверняка сделает все, чтобы поставить его на место, чего Дмитрий Иванович сносить вовсе не собирался.

Как Амалия ни уговаривала композитора, он молчал и косился в сторону выхода, и единственное, что удалось у него выманить — это обещание прийти на благотворительный вечер, который послезавтра устраивала баронесса Корф.

— Тогда, может быть, что-то уже прояснится, — добавила Амалия и обратилась к Леденцову: — Гиацинт Христофорович, мне ужасно неловко, но кому-то придется проводить его до дома... Я дам карету, так что вы быстро доедете и вернетесь обратно к ужину. Мы вас подождем.

По правде говоря, Леденцов вовсе не рассчитывал на ужин и вообще на то, что его пригласят к столу, но Амалия не пожелала слушать никаких возражений.

— Вы нашли его? — не удержался от вопроса Чигринский, когда он и сыщик сели в карету.

Леденцов честно ответил, что нет, и в ответ спросил, не помнит ли Дмитрий Иванович, чтобы вчера за ним кто-нибудь следил.

— Понимаете, тот, кто звонил, должен был знать, что вы сделали с телом и куда поехали... А это значит, что он не упускал вас из виду.

— Полагаете, я сам прежде до этого не додумался? — фыркнул Чигринский. — Но единственное, что я вспомнил, так это молодчика, которого видел на Гороховой. По-моему, он шел за мной от дома, но после Фонарного я его не видел.

— Как он выглядел, этот ваш преследователь? — быстро спросил Леденцов.

— Как, как, да обыкновенно он выглядел, — проворчал Чигринский. — Просто я не сразу вспомнил, кто это. «Тебя», «меня...» Студент Агапов... или Иратов его зовут. Имя-отчество я запамятовал, можете у Прохора уточнить. Вчера как раз студент этот ко мне приходил, ну и...

Гиацинт затаил дыхание.

— Скажите, Дмитрий Иванович, а вы могли чем-то возбудить недовольство... или вражду господина Агапова?

— Еще как, — хмыкнул композитор. — Я ему дал понять, что его стихи никуда не годятся. А литераторы — они нынче о-го-го какие обидчивые... Помнится, мы с Нерединым как-то на дуэли чуть не подрались, когда я ему по дружбе сказал, что одна его элегия получилась ни к черту... Чуть до стрельбы дело не дошло. И главное — Алешка сам же потом признал, что стихотворение не получилось...

У Леденцова мелькнула мысль, что с такими друзьями, как Дмитрий Иванович, и никаких врагов не потребуется, но молодой сыщик благоразумно удержал ее при себе и, достав записную книжку, занес в нее только что полученные ценные сведения. Затем он передал композитору украшения, найденные в квартире, и попросил тщательно осмотреть их и сообщить, если что-то пропало. Однако Чигринский снова подтвердил, что все они на месте. Вновь выходило, что Ольгу Верейскую убили вовсе не по причинам материальным, хотя истинная причина ее смерти по-прежнему была окутана мраком. И Гиацинт впервые задумался над тем, что будет, если действия его и Амалии не дадут никакого результата. Молодой сыщик прекрасно знал, что пословица о том, что «все тайное становится явным», придумана в утешение и далеко не всегда соответствует действительности. Тем не менее он дал себе слово, что приложит все усилия, чтобы раскрыть эту тайну — любой ценой.

ГЛАВА 19

ГОНЕЦ УДАЧИ

— Дядюшка, — сказала Амалия, входя в комнату к Казимиру, — я думаю, вам не следует ужинать с нами.

Дядюшка, воевавший с запонкой, которая почему-то никак не хотела застегиваться, почуял, что его хотят ущемить в правах, и приготовился возмущаться.

— Амалия, я же помню тебя с детства! Да что там с детства — с колыбели... Может, вообще прикажешь мне отселиться? — обидчиво добавил он. — В какую-нибудь богадельню? Благодарю покорно!

— Речь вовсе не об этом...

— А о чем? И учти: пел вовсе не я! Это господин Чигринский распевал так, что было слышно на всей набережной...

— Что, и гимн тоже?

— Конечно, — заявил дядюшка, глазом не моргнув. — Знаешь, как он назвал зеленый рояль моей любимой сестры? Крокодилом, вот как! И говорит мне: а давай-ка я сейчас сыграю на крокодиле...

Амалия не выдержала и расхохоталась.

— Мне кажется, дядюшка, — таинственно сказала она, отсмеявшись, — что сегодня вам не повредит пойти в ресторан.

Казимирчик понял, что ветер дул вовсе не туда, куда он полагал вначале, и насторожился.

— Я не люблю ресторанов, — томно молвил он, косясь на племянницу.

— Неужели?

— Конечно. Что я там забыл?

— А мне кажется, — заметила Амалия, — что именно сегодня вы очень хотите пойти в ресторан «Армида».

— Не хочу.

— Но в глубине души вы чувствуете такое желание.

Казимирчик задумался, словно и в самом деле прислушиваясь к тому, что творилось в глубине его души.

— Зачем мне какая-то «Армида»? Это же про нее говорят, что поблизости собаки даже лаять боятся?

— По-моему, эту шутку конкуренты в свое время пустили про московский «Яр», — отозвалась Амалия. — С уточнением насчет мясных пирожков или чего-то в этом роде.

— Все равно, плохой признак, — горько покачал головой шляхтич. — Нет, не хочу я ни в какую «Армиду».

— Но почему?

— Меня там отравят, — вздохнул Казимирчик.

— Зачем кому-то вас травить? У них французский повар...

— Из Варшавы или Казани?

— Уверяют, что из Парижа.

— А оркестр есть?

— Есть, и даже два.

— Опять ты меня втягиваешь во что-то непонятное, — закручинился дядюшка. — Сколько?

— Мгм... Сто рублей.

Казимирчик царственным жестом воздел руки.

— На эту сумму, — сообщил он, — я даже приличного зеркала разбить не смогу.

— Пан Казимир, — заворчала Амалия, теряя терпение, — ну зачем вам разбивать зеркало?

— А зачем мне тогда ходить в ресторан? — сделал ангельское лицо Казимирчик. — Ты гонишь меня на улицу в такую погоду...

— Снаружи прекрасная погода. Ни снега, ни дождя, и даже ветер стих.

— Даже ветер? Гм... Скажи-ка, а мы еще в Петербурге?

— Дядюшка!

— У них хотя бы есть что выпить? — поинтересовался Казимирчик. — Да или нет?

Тут Амалия, признаться, на несколько мгновений потеряла дар речи.

— После того, как вы — хорошо, на пару с господином Чигринским — выпили чуть ли не половину погреба...

— Так оно там стояло, только место зря занимало, — пожал плечами бессовестный дядюшка. — Триста.

— О!

— Может, мне придется подкупать народ, чтобы узнать то, что тебе нужно... Кстати, зачем ты вообще меня туда посылаешь?

— Вчера после десяти вечера некто звонил из ресторана в полицию и сообщил, что Дмитрий Иванович Чигринский убил свою любовницу, а я помогла ему спрятать тело. Сегодня чиновник сыскной полиции попытался разузнать приметы звонившего, но все говорили, что ничего не запомнили, а я им не верю. Вы, дядюшка, — наша последняя надежда.

— Это опасное задание, — задумчиво молвил Казимирчик. — Очень опасное.

— Вознаграждение в зависимости от результата, — быстро сказала Амалия.

— То есть?

— Если вы узнаете только приметы, двести рублей в придачу к тому, что я дам вам на ресторан. Если приметы и хотя бы имя — триста. А если и приметы, и имя, и где он живет — тогда пятьсот.

— А если ничего?

— Тогда только то, что на ресторан.

— Пятьсот. На ресторан.

И дядюшка Казимир сделал широкий жест, а Амалия вторично потеряла дар речи.

— Сто пятьдесят, — объявила она, переводя дыхание.

— Четыреста.

— Ну уж нет!

— Ну хорошо, двести, — пошел на попятный Казимирчик. — Как, интересно, меня сочтут там за своего, если я даже зеркало разбить не могу? Так что учти, если моя миссия провалится, виновата в этом будешь исключительно ты!

— О!

— И кстати уж насчет кареты. Я терпеть не могу наемные экипажи!

— Не волнуйтесь, дядюшка, — пообещала Амалия. — Экипаж привезет вас, будет дожидаться и отвезет обратно.

— Ну так-то лучше, — смилостивился Казимир и одним махом закрепил запонку именно так, как было нужно.

— А он не наплетет каких-нибудь небылиц, чтобы оправдать свой гонорар? — поинтересовался Александр, когда позже Амалия рассказала ему о задании, порученном дядюшке.

— Он знает, что со мной это бесполезно, — твердо ответила Амалия. — Но если ему ничего не удастся выяснить, значит, дело и впрямь глухо.

Получив аванс на ресторанное времяпрепровождение, Казимир приободрился, глотнул какой-то чудодейственной настойки, чтобы вернуть себе ясность мысли, закусил все большим куском хлеба с маслом (чтобы окончательно не опьянеть в дальнейшем, так как масло частично нейтрализует воздействие алкоголя), сбрызнул себя одеколоном и отправился на поиски приключений. Следует особо отметить, что на палец благородный шляхтич надел перстень со стекляшкой, который, однако же, смотрелся чрезвычайно выигрышно. Казимир не доверял новым местам, а потому в первый раз в незнакомое заведение предпочитал надевать фальшивые драгоценности.

У него не было ни то что плана, а даже намека на план, но он верил в свою счастливую звезду и, прибыв в ресторан «Армида», сел за столик и приготовился ждать. Стоит особо отметить, что место Казимир выбрал с таким расчетом, чтобы оттуда был виден висящий на стене телефон.

Минут десять, пока наш искатель приключений неспешно просматривал меню, он нет-нет да бросал взгляд на громоздкий ящик напротив, но к телефону никто не подходил и вообще, судя по всему, посетители им особо не интересовались. Кроме того, предусмотрительный хозяин повесил аппарат не у входа в зал, где им, возможно, пожелали бы воспользоваться любители дармовщинки, а в нише на противоположной стене, полускрытой двумя пальмами в кадках. Таким образом, чтобы позвонить, надо было пересечь весь зал, либо спуститься сверху, из приватных кабинетов, где наслаждались пищей — и частенько обществом дам легкого поведения — любители уединенного отдыха.

— Разрешите к вам присоединиться, сударь?

Возле одинокого Казимира уже нарисовалась особа с подведенными глазами и накрашенными губами. Судя по коже, ей было лет двадцать, а если судить по опытному, оценивающему взору — все сорок. Плечи у нее были голые, и платье вишневого бархата подчеркивало их белизну. Рот уже растянулся в зазывной улыбке, а взгляд продолжал ощупывать и оценивать сидящего за столиком. В руке трепетал веер из перьев марабу в тон платью, кружевные митенки[1] были уже слегка поношенные.

— О, какая удача! — вздохнул Казимир, бог весть отчего начав говорить с отчетливым польским акцентом. — А я-то как раз думал, кого мне тут не хватает...

И, опередив официанта, он встал и галантно отодвинул стул для дамы. Это не было рисовкой или расчетом — Казимир придерживался правила обращаться с женщинами вежливо, кем бы они ни были и по какой бы причине ни пожелали к нему обратиться.

---

[1] Полуперчатки без пальцев.

— Меня зовут Роза, — кокетливо сообщила дама, садясь и складывая веер. — Но ты можешь звать меня как хочешь. А ты поляк? Я сразу поняла! Польские мужчины такие галантные... Что будешь заказывать?

Так, все понятно: ее работа — сначала заставить клиента раскошелиться на еду и выпивку, а потом уже обеспечить все остальные услуги.

— Здесь отличное шампанское! — оживилась Роза, играя плечиком. — Будешь?

И она уже качнула пальцем, подзывая официанта.

— Какое еще шампанское? — возмутился Казимир, который моментально сообразил, что его хотят с ходу раскрутить на самые дорогие напитки. — Я, между прочим, собираюсь на дуэль!

«Господи, — в смятении помыслил он, — что я такое ляпнул?»

Роза опустила карточку меню и посмотрела на Казимирчика недоверчиво. Этот маленький поляк с физиономией любителя хорошо пожить совершенно не походил на какого-нибудь любителя поединков, которому грозила опасность.

— Котик, да ты шутишь! — привычно капризным тоном протянула красавица. — С кем же ты дерешься?

— Еще не знаю, — вздохнул Казимир. — Это такая запутанная история, но мне бы только найти его...

— Тебя кто-то обидел? — спросила Роза, проявляя проблеск интереса.

— Меня обидеть трудно, — важно изрек Казимир. — Но оскорбление я привык смывать кровью... Вино будешь?

— Мне бы шампанского... — шепнула Роза, строя глазки.

— Шампанское потом, когда я его найду, — объявил Казимир. — Мне бы только понять, кто меня разыграл... Человек! Человек!

Он заказал бутылку вина в умеренную цену и игриво осведомился, чего можно взять поесть, чтобы не окочуриться.

— Обижаете, господин! — отвечал официант заученно бодрым тоном. — Повар выписан прямо из Парижа...

— Это мадемуазель выписана из Парижа, — парировал Казимирчик, игриво косясь на Розу, — а насчет повара я пока вовсе не уверен... Как тут в рассуждении трюфелей?

Вновь приободрившаяся Роза, чуя солидный счет, сообщила, что трюфели подают на загляденье.

— Трюфели, пожалуй, можно, — объявил Казимир. — Еще салат а-ля вьеннуаз, икры, только смотри, лежалую не смей подавать. Кулебяку по-московски, бёф де норманди с грибами... И душеньке того же самого, — заключил он.

— Смею порекомендовать уху-с, — наклонившись, интимно прошептал официант. — Наша уха чудо как хороша.

— Рыба? — Казимирчик скривился. — Да в ней костей не соберешь, в ухе твоей... Нет, не буду уху, — капризно сказал он и махнул салфеткой.

— А кто тебя разыграл? — спросила Роза, когда официант удалился.

— Меня?

— Да, ты говорил, что у тебя что-то случилось.

— Случилось? — поднял брови Казимирчик. — Представь себе, я невесту потерял. Богатую! И все из-за козней этих... этих...

— Бедный! — посочувствовала Роза. — А дуэль тут при чем?

— Потому что я буду мстить, — важно ответил ее собеседник. — Найду его и вызову на дуэль. Непременно! Он же мне, лайдак[1], из этого ресторана звонил.

— Котик, — капризно сказала Роза, обмахиваясь веером, — я ничего не понимаю.

— То, что со мной произошло, просто ужасно! — простонал Казимирчик. — Вот послушай: я же работаю с утра до ночи... — «Кем я работаю? Матка боска, этого еще не хватало...» — Ну, не с утра до ночи, но я занят... И вот вчера вечером, в десять или около того, звонит мне домой какой-то пан и говорит, что моя невеста сейчас встречается... встречается с другим! — Казимир испустил душераздирающий стон и схватился за голову. — Боже! И я, бросив все дела, мчусь на другой конец города... к ней! А ее родители очень строгих правил... Я был вне себя, я был уверен, что она меня обманывает! И я там такого наговорил... Теперь мне отказали от дома... помолвка расторгнута! И только потом, хорошенько все обдумав, я понял, что меня самым невероятным образом провели... Один бог знает, удастся ли мне все попра-

---

[1] Негодяй (польск.).

вить! И тот, кто звонил, наверняка рассчитывал, что я взбешусь от ревности и сам все испорчу...

«Интересно, — думал Казимирчик, яростно растирая глаза, — уже пора пускать слезу или нет?»

— Ну, ну, котик, — успокаивающе сказала Роза, похлопав его по плечу. — Ей-богу, она того не стоит... Давай лучше выпьем!

— Выпьем, душенька, выпьем, — тотчас же согласился Казимир, оставив глаза в покое. «Нет, еще не время заливаться слезами...» — Только, знаешь, я не злопамятный человек, но иногда я все-таки злопамятный... Я хочу его найти, того, кто мне позвонил и разрушил все мое счастье. Он мне за все ответит!

— Как же ты его найдешь? — спросила Роза, опрокидывая бокал с легкостью, которой позавидовал бы гусарский ротмистр.

— У меня есть подозрения, — важно ответил Казимир, принимаясь за еду. — Я имею понимание, кто мог желать мне зла... И главное — он звонил вчера из этого ресторана. Мне бы только понять, Лукашевич это был или Обнорский. Лукашевич — он высокий, брюнет и с усиками. Обнорский — низкий и блондин, но тоже с усиками. Они оба, как только меня встречают, прямо с уст источают мед... твое здоровье... но я-то знаю, что они лайдаки. О, они оба давно точат наглые зубы на панну Зосю и ее приданое...

Он разошелся до того, что вилкой в воздухе обрисовал воздушную фигуру несуществующей панны Зоси и более солидным контуром — размеры ее приданого. Да что там Зося — Казимир видел своих воображаемых соперников так отчетливо, что мог бы любому рассказать о них множество подробностей. Обнорский наглый, скалит зубы и за спиной отпускает грязные шуточки; Лукашевич говорит басом, щурит глаза и вечно недоплачивает по счетам. Роза призадумалась.

— Говоришь, вчера звонил? Поставишь шампанское, если я узнаю, кто это был?

— Поставлю. Слово дворянина!

— Самое лучшее?

— Три бутылки, — отважно объявил Казимир. Море ему было по колено, потому что Амалия все-таки раскошелилась не только на широкое гуляние, но и на разбитие зеркал без последующего занесения в протокол.

— Ух, как ты мне нравишься! — вскричала Роза в экстазе. — Не обижайся, пан, но коза твоя Зося... Щас мы мигом узнаем, кто тебе звонил.

Она завертелась на стуле, подозвала одного официанта, с бритым и наглым лицом, потом другого, худосочного и заморенного, затем кого-то из оркестра, а также девушку «от заведения», скучавшую в углу. Казимир поглядел на то, как блестят глаза Розы, как она спрашивает, кивает, улыбается, машет веером, смеется, запрокидывая голову, сообразил, что все двинулось в нужном направлении, и повеселел.

«И какого черта я взял трюфели? — думал он, механически жуя. — Я же терпеть их не могу. Вот икра — та совсем другое дело...»

— Слушай сюда, пан, — сказала Роза, нагибаясь через стол. — Короче, вчера вечером у телефона был газетчик Смолов, он часто тут вертится... Но Гришка-буфетчик говорит, что он был часов в девять, не позже, заметку диктовал. Потом офицеры напились и стали с пьяных глаз названивать чуть ли не во дворец... только скоро из кабинетов спустился какой-то полковник и так их приструнил, что они рады были убраться восвояси.

— У вас даже полковники бывают? — меланхолично спросил Казимирчик. — Как мне тут нравится!

— У нас и генералы бывают, — гордо ответила Роза, опрокидывая очередной бокал. Щеки ее порозовели. — Слушай дальше... Потом какая-то дама пожелала позвонить по телефону, спрашивала, благополучно ли кто-то добрался... была ли телеграмма о прибытии, а то Московско-Брестская железная дорога дело известное... пишется МБЖД, а все читают — моли бога живым доехать... — Казимир прыснул и налил Розе еще вина. — Затем к аппарату долго никто не подходил — это уже Мишка, наш половой, говорит. Потом... потом Коко пришел звонить, это уже после десяти было. Лизка... тьфу, Анжелика его немного знает, он иногда ее угощал, так, по мелочи...

— Что за Коко? — деловито спросил Казимир. — У Лукашевича, кстати, служит один Коко... лайдак, каких свет не видел...

— Да нет, котик, ты что... Он не служащий, ничего такого, и нигде не работает.

— Точно? — подозрительно спросил ее собеседник.

— Ну да!

— Откуда ж у него средства — ходить в такой прекрасный ресторан, как ваш? — недоверчиво хмыкнул Казимирчик.

— Откуда... откуда... Лиза... тьфу, Анжелика, чем он занимается?

— Да он мне не говорил никогда, — отозвалась с соседнего стола бледная, унылая, меланхоличная девушка, которую Роза недавно расспрашивала. — Как напьется, так вечно стихи читает, а где да что — ни гугу... Но деньги у него водятся, что есть, то есть.

— Панна! — закричал Казимир, — так не годится, ей-богу... Садитесь за наш столик, я вас угощу...

И он обтяпал все так ловко, что Роза оказалась по одну его сторону, а Лиза-Анжелика — по другую, ибо Казимир кое-что понимал в женщинах и знал, что в ресторанах между девушками существует жесткая конкуренция, стало быть, никак нельзя, чтобы они сидели рядом.

— Котик! — капризно вскричала Роза. — Ну что такое! Я буду обижаться...

— Зачем? У меня денег на всех хватит, а подругу тоже надо угостить... Человек!

Человек подлетел, принял очередной заказ и упорхнул, подмигнув Розе: вот хорошего-то клиента присмотрела, заведению одна выгода, и Лизка тоже не киснет в углу, как обычно...

— После Коко этого кто звонил? — допытывался Казимир. — Блондин или брюнет?

— Да нет! Машка... тьфу, Виолетта напилась и около одиннадцати стала чуть ли не на трубку вешаться... изображала, что сейчас позвонит жениху, и он ее заберет... А он умер уже давно... На нее иногда находит...

— Так это что, — потрясенно спросил Казимир, — ни Лукашевич, ни этот лайдак Обнорский мне отсюда не звонили?

— Котик! Ну я тебе это самое и пытаюсь втолковать... Не было их тут! Может, ты что перепутал, и они тебе из другого ресторана звонили?

— Я вижу, панна, что вы хотите меня провести, — заявил Казимир, шутливо грозя Розе пальцем. — Мне этот Коко очень даже подозрелен! Он наверняка человек Лукашевича... Как он выглядит вообще?

— Рожа как рожа, — ответила за подругу Лиза-Анжелика. — Вот, ей-богу, ни одной черты запоминающейся... Волосы соломенные, бороденка такая же... Молодой, лет двадцать пять ему... И ростом примерно с тебя, а может, чуть повыше.

— Нет, это какой-то другой Коко, — с сомнением протянул Казимирчик. — Или тот самый? Не помню я его физиономию, хоть убей... Он один за столом сидел, или с компанией был? Может, там поблизости где Лукашевич находился...

— Это который брюнет с усиками?

— Ну да, ну да...

— Нет, — отозвалась Лиза, — Коко был один, потом зашел еще какой-то, но не с усами, а с черной бородой. Бородатый быстро ушел, а Коко побежал к телефону... По-моему, так.

— Бородатый, значит, человек от Лукашевича? Да нет, что-то не похоже... — Казимир встрепенулся. —

А о чем Коко по телефону говорил? Не упоминал ли панну Зосю, к примеру? Нет?

Роза снова стала подзывать официантов и совещаться. Казимир терпеливо ждал, не забывая наливать обеим девушкам и почаще улыбаться.

— Э как гуляет-то! — уважительно сказал какой-то купчина за соседним столом. — Мы тут сидим, как раки на мели, а он аж двух облапил, и ничего...

Казимир услышал эти слова и приосанился.

— Да не слышали наши, о чем он там болтал, не до того им было, — сказала Роза с досадой, переговорив чуть ли не со всеми официантами. — Тогда в зале две компании подрались... еле разняли их. Мы на случай драки форменных медведей держим, — пояснила она, — все бывшие бойцы, забаловать не дадут. Наш хозяин не любит, когда к нам полиция приходит...

— Правильно не любит, — согласился Казимир. — Ваше здоровье! Жаль, конечно, что он так незаметно прошмыгнул, и никто его разговор не слышал... Я б его проучил за мою Зосю!

— Да она уже вроде как не твоя, — хмыкнула Лиза-Анжелика.

— Так-то оно так, да все равно обидно! Такое приданое упустил... Ну, не будем о грустном — ваше здоровье!

Впрочем, когда принесли шампанское, Казимир не оставил осторожных попыток разведать, что это за Коко такой был, как его, в сущности, зовут и где он обретается. В ответ ему пришлось выслушать длинную и подробную историю жизни Лизы-Анжелики, а также Розы, которую на самом деле звали

Фросей. В обеих историях присутствовали в больших количествах обманы, коварные мужчины, нежелание гнуть спину на фабрике за гроши и гнусная, беспросветная нищета. Впрочем, помимо этих историй Казимиру удалось также узнать и кое-что о таинственном Коко, который декламировал стихи о потоке, который невозможно перейти, и частенько посещал бега, причем как-то раз проговорился, что до ипподрома ему было рукой подать. Однако ни точного его адреса, ни точного имени никто в ресторане не знал, и со вчерашнего дня он в «Армиде» не появлялся. Казимир даже выставил лишние полдюжины бутылок шампанского, чтобы освежить память тем, с кем беседовал, но это привело лишь к тому, что Роза без всякого стеснения уселась к нему на колени, а Лиза заявила, что он душка и она готова с ним хоть на край света, только сначала ей надо припудриться и попрощаться с мамашей.

...В четвертом часу утра кучер баронессы Корф привез обратно на Английскую набережную господина, при виде которого небезызвестный мистер Дарвин усомнился бы, а воистину ли человек успел произойти от обезьяны, или все же процесс застрял где-то в самом начале. Когда дверца распахнулась, Казимирчик чуть не свалился плашмя на тротуар, но кучер был человек бывалый, прошедший всю войну против турок, и, подхватив растрепанного шляхтича под мышки, аккуратно втащил его в дом.

На тихий вопль Аделаиды Станиславовны, которая так и не заснула, предчувствуя неладное:

— Господи! Что здесь творится?! — Казимир с усилием приподнял голову и строго ответил:

— Ты ничего не понимаешь, женщина, — я выполнял ответственное задание!

Затем он рухнул на бок и проспал счастливым сном до самого полудня.

ГЛАВА 20

МИМОЛЕТНОЕ ВИДЕНЬЕ

В Петербурге бывает так: тянется унылая череда зимних дней, тащится, плетется, и позавчера пасмурно, и вчера пасмурно, и неделю назад мело, и вроде как собирается мести на следующей неделе — и вдруг все, решительно все меняется. Снег тает на глазах, облака из пышных и подушечных превращаются в кудрявых озорных барашков, тротуары выползают из-под корки льда, и солнце начинает светить так примерно, словно весна метлой выгнала его из чулана, где оно пряталось. И воробьи, которых зимой не было ни видно, ни слышно, начинают верещать с удесятеренной силой:

— Весна! Весна! Чирик-чирик! Дождались, дождались!

Дмитрий Иванович Чигринский проснулся в своем доме на Гороховой улице от возни воробьев за окном и почти сразу же вспомнил, что ему приснилось что-то важное. Увы, птичий гомон сбивал его с толку и мешал сосредоточиться.

— Прошка! — страдальчески взвыл композитор.

Дверь тотчас же отворилась, и на пороге возникла тощая сутулая фигура слуги.

— Почему они так орут? — требовательно спросил Чигринский.

— Так ведь время уже к полудню, сударь, — с достоинством ответил Прохор.

— Врешь!

— Ей-богу. Одиннадцать с четвертью, если быть точным.

Чигринский тихо застонал. Мысль его блуждала по событиям недавних дней, и внутренним взором он видел то удивленное лицо Оленьки, то зеленый рояль, то какой-то стол, уставленный бутылками, то баронессу Корф в розовом платье, расшитом серебром.

— Меня не спрашивали? — на всякий случай спросил он.

Прохор поджал губы.

— Были кое-какие посетители, незначительные. Но я их всех выпроводил.

— М-м, — неопределенно промолвил Чигринский, почесывая голову. — Знаешь, Прохор Матвеич, а меня ведь и арестовать могут.

— За что?

— Ольгу Николаевну убили, а я ее нашел. Могут подумать, что это я ее... того.

Прохор в изумлении открыл рот, но сказал только следующее:

— Я велю Мавре, чтобы она завтрак по новой приготовила. Ни к чему вам холодное есть.

Он повернулся к двери, но, прежде чем выйти, добавил твердым голосом:

— Бог даст, все образуется, Дмитрий Иванович.

«Что же мне приснилось?» — подумал обеспокоенный композитор, не слушая его.

После завтрака он удалился в самую большую комнату в доме — библиотеку, в которой были собраны труды по теории и истории музыки, ноты, партитуры, биографии композиторов — словом, чуть ли не все выпущенные за последний век книги, имеющие отношение к музыке. Чигринский — что греха таить — был не прочь небрежно уронить в кругу знакомых, что сам он знает толк только в музыке и лошадях, а к языкам способностей не имеет. Но что бы он ни говорил, это не мешало ему читать о Верди по-итальянски, о Моцарте по-немецки, о Шопене по-польски и о Бизе — по-французски. Он никогда не упускал случая расширить свой профессиональный кругозор, и хотя всем инструментам на свете предпочитал фортепьяно, умел играть также на скрипке, на флейте, на корнет-а-пистоне, а при случае на барабанах и даже на органе.

Слоняясь вдоль книжных шкафов, рядом с которыми он почти физически ощущал, как на его душу опускается спокойствие, Чигринский набил трубку и, пуская клубы дыма, стал бубнить себе под нос попурри из самых разнообразных военных маршей. Скрипнула дверь — верный Прохор принес почту.

— Колокольчик! — неожиданно сказал Чигринский, круто обернувшись к нему.

Прохор вытаращил глаза.

— Теперь я вспомнил, это был колокольчик, — снисходительно объяснил Дмитрий Иванович, еще более все запутав. — Прошка, у нас есть колокольчики?

— Какие именно колокольчики вам угодно? — спросил слуга, пытаясь сообразить, к чему клонит его хозяин.

— Которые так нежно-нежно звенят. Диннь! Не дзеннь, без этого мерзкого позвякивания, а... понимаешь... чтобы тон был такой чистый. Найдешь?

Прохор объявил, что постарается, и минут через десять перед Дмитрием Ивановичем лежала дюжина самых разных колокольчиков, извлеченных из разнообразных закутков дома.

— Нет, этот надтреснутый, — бормотал Дмитрий Иванович, пробуя колокольчики один за другим. — А этот так вообще пьяница, ишь, какой хрипатый! Не то... не то... Скажи, а хрустальных колокольчиков у нас не найдется?

Прохор впал в задумчивость, объявил, что мигом обернется, и пропал на полтора часа. Вернувшись, он торжественно разложил перед Чигринским штук пять хрустальных и стеклянных колокольчиков.

Увы, их звук совершенно не устроил Дмитрия Ивановича — то стенки слишком толстые, то язык, намертво закрепленный, даже не в состоянии производить звон. Поняв, что у него ничего не получается, Чигринский впал в ярость.

— В этом городе!.. столице империи!.. есть, в конце концов, хоть один пристойный колокольчик? Я не понимаю, я что, слишком многого прошу? Черт знает что такое!

И он стукнул трубкой о стол с такой силой, что сломал ее, из-за чего впал в еще большую ярость, побагровел и запустил пальцы обеих рук в волосы, отчего они стали дыбом.

— Дмитрий Иванович... — сказал Прохор дрожащим голосом.

— Стой! Что это там на полке?

— Где? — Слуга быстро повернулся к шкафу.

— Да вон же, вон, возле портрета Мусоргского с дарственной надписью! Это не колокольчик?

— Колокольчик, — обрадованно закивал Прохор.

— Откуда он тут взялся?

— Вам Елена Владимировна Кирсанова его поднесла когда-то, в подарок.

Чигринский скривился. Он терпеть не мог певицу Кирсанову, которая была прежде любовницей Алексея Нередина и, как считал Дмитрий Иванович, причинила тому немало неприятностей. Бросив Нередина, Кирсанова сделала попытку переключиться на Чигринского, но он не выносил женщин этого типа и без всяких околичностей прекратил с ней всякое общение.

— Наверняка дрянь, — сказал Чигринский вслух, имея в виду колокольчик. — Дай-ка его сюда!

У этого стеклянного сувенира, привезенного из невесть какого угла Европы, стенки были сделаны из стоящих друг на друге зигзагообразных трубочек, между изгибами которых оставались пустоты. Чигринский поднес колокольчик к уху и протяжно прозвонил.

— А-га! — удовлетворенно объявил он. — Слышишь, как звенит?

— Прекрасный колокольчик, — подтвердил Прохор. По правде говоря, он сгорал от любопытства, пытаясь понять, что, собственно говоря, происходит.

И Чигринский открыл уже рот, чтобы объяснить, что сегодня ночью ему приснился звон колокольчика, такой чудесный, такой нежный, что когда Дмитрий Иванович проснулся, то решил отыскать в точности такой же колокольчик... Но тут затрещал звонок входной двери, и Прохор метнулся в переднюю.

— Дмитрий Иванович, к вам Спиридон Евграфович Вахрамеев, — доложил слуга, вернувшись. — Уверяет, что это срочно, что он ненадолго и не будет отрывать вас от дела.

— Сколько слов, — весьма кисло пробурчал Чигринский. — Ладно, веди его в гостиную, а я пока переоденусь.

Визит редактора пробудил в его душе самые скверные предчувствия — настолько скверные, что и колокольчик, и чудесный звон, привидевшийся во сне, разом вылетели у Чигринского из головы. Он облачился в парадный шлафрок с павлинами и вышел к редактору, который показался ему подозрительно взволнованным.

— Дмитрий Иванович... Рад видеть вас в добром здравии... Моя жена в восторге от вашего «Петербургского каприччо...» А ваша последняя соната — просто прелесть!

Последнюю сонату Дмитрий Иванович считал гадостью, пошлостью и вообще своей личной неудачей, поэтому, когда он попытался улыбнуться в ответ на комплименты редактора, эта улыбка получилась похожей скорее на нервный тик.

— Я понимаю, что отрываю вас от дел... мы все занятые люди... — заторопился редактор. — Должен вам сказать, Дмитрий Иванович, что у вас есть враг.

— У меня? — проскрежетал композитор.

— Да. Вот, полюбуйтесь, что прислали в мою газету... Конечно, это мерзкая анонимка, но писал человек явно образованный... выбор слов выдает, так сказать...

И Вахрамеев извлек из кармана сложенный вчетверо листок и протянул его Чигринскому. Насупившись, Дмитрий Иванович развернул письмо и увидел несколько ровных строк, выведенных печатными буквами.

В сущности, ничего нового тут не было. Его в который раз упорно обвиняли в том, что он убил Ольгу Верейскую и пытался спрятать ее труп.

— Как поживает Ольга Николаевна? — игриво спросил Вахрамеев.

И тут, стыдно сказать, Чигринский не удержался.

— Вам бы так, — мрачно буркнул он.

Но так как Вахрамеев давно знал «этого медведя», как он в кругу знакомых величал Чигринского, и так как в прессу до сих пор не просочились сообщения о гибели Ольги, редактор не обиделся и даже хихикнул.

— Смотрите, Дмитрий Иванович! Я решил, так сказать, лично доставить, а то мои репортеры народ ушлый... Глаз да глаз за ними, а то возьмет какой-нибудь такой паршивец анонимку в оборот и насочинит с три короба...

— Шею сверну, — уронил Чигринский, играя желваками.

— Кому, газетчику?

— И газетчику, и вам.

— Хи-хи! — в экстазе хихикнул Вахрамеев, блестя стеклами очков. — Да уж, мне известно, что нрав у вас крутой, батенька... — Он огляделся. — Прекрасное у вас жилье, только вот женской руки не хватает. Уют, понимаете, уют! Вам бы остепениться, жениться...

— Вы будете на вечере у баронессы Корф? — в отчаянии спросил Чигринский, чтобы прервать этот поток благоглупостей.

— Гм... Весьма возможно... А что, вы тоже туда собираетесь? Вы же как-то говорили, что вас калачом в такие места не заманишь...

— Ну, Спиридон Евграфович, все на свете меняется, — загадочно изрек Чигринский. — Тогда до завтра, а сейчас, простите, мне пора работать... Спасибо за то, что предупредили насчет письма.

— Кому другому я бы ни за что такой услуги не оказал, но вам — завсегда! Будьте здоровы, богаты и веселы, батенька... — по своему обыкновению, заключил редактор.

Однако, выйдя из дома композитора, он призадумался.

«Почему это он заговорил о баронессе Корф, едва я упомянул насчет женитьбы? Любопытно... очень даже любопытно! Уж не собирается ли он на ней жениться? А что — она в разводе, он холост... как говорится, хоть завтра кричи горько!»

И эта мысль так крепко засела в голове Вахрамеева, что он, едва заявившись в редакцию, вызвал к себе одного из самых шустрых сотрудников и велел ему срочно навести справки, нет ли чего между Дмитрием Ивановичем и непредсказуемой баронессой Корф. Получив ответ, что с композитором она едва знакома, а вот муж, с которым баронесса в разводе, ездит к ней довольно-таки часто, Вахрамеев лишь пожал плечами.

— Муж, голубчик, это совсем не то... На одних мужьях мы далеко не уедем!

Окончательно решив, что никакого интересного материала он из баронессы Корф не вытянет, редактор взял пачку телеграмм с последними известиями и стал, как обычно, собственноручно править их для отправки в печать.

ГЛАВА 21

СПОСОБ ИСЦЕЛЕНИЯ РАНЕНОГО САМОЛЮБИЯ

Пока Спиридон Евграфович редактировал бури, добавлял подробностей в землетрясения и объяснял читателям, в каком платье принцесса Чанг Пинг Понг вышла замуж за принца Дзынь Вынь Встань, сыщик с цветочным именем успел навести у Прохора кое-какие справки и теперь уверенно шел по следу Модеста Трофимовича Арапова, студента и стихотворца, который мог затаить на беспечного композитора лютую злобу за то, что тот не признал его поэзию гениальной, и задался целью жестоко отомстить ему. Скажете, чепуха? Но в памяти Леденцова были еще свежи воспоминания о том, как одна поэтесса, очаровательная женщина во всем, что не касалось ее творчества, попыталась сжить со света известного критика, который всего лишь в дружеской компании признал ее стихи негодными для цивилизованного употребления, — и ведь тогда, кстати сказать, едва не дошло до смертоубийства. Авторское самолюбие — вещь ужасно ранимая, хотя, когда речь заходит о произведениях других авторов, ранимые творцы почему-то с легкостью раздают ярлыки «бездарно», «скучно», «плохо» и «никуда не годится». Поэтому неутомимый Гиацинт Христофорович решил, что ни в коем случае не будет упускать Арапова из виду и уж, по крайней мере, добьется от него объяснения, с какой такой стати он шел по петербургским улицам за мирно гуляющим Чигринским и какую цель при этом преследовал.

По расчетам Леденцова, Модест Трофимович должен был с утра находиться на занятиях, но на всякий случай сыщик решил все же навести справки у дворника. К удивлению Гиацинта, тот сообщил, что студент вроде как приболел и сегодня никуда не пошел, а его матушка очень о нем беспокоится.

— Золотая женщина, — с уважением сказал дворник. — Все для сына делает, да и он, надо сказать, оченно для нее старается. И учится хорошо, не то что лоботрясы некоторые...

Арапов становился все подозрительнее и подозрительнее — не потому, само собой, что хорошо учился, а потому, что слег в постель аккурат после убийства Ольги Верейской. Душа Леденцова затрепетала: неужели?.. Перепрыгивая через две ступени, он взлетел на предпоследний этаж и постучал в дверь квартиры, в которой жили Араповы.

Отворившая дверь маленькая горничная с длинной косой, уложенной вокруг головы, очевидно, спутала прыткого сыщика с кем-то, потому что сказала: «Пожалуйста, доктор, входите, мы вас очень ждали. Заболел молодой наш барин, прихворнул, а что с ним такое да как его вылечить — ничего не понятно...»

И через минуту Леденцов очутился в длинной, довольно тесной комнате, в которой, судя по всему, жили исключительно книги. Книг было анафемски много, и они выглядывали отовсюду: из шкафов, со стола, со стульев и даже из-под подушки на кровати. Люди, возможно, допускались сюда и даже могли здесь задержаться, но при условии не мешать основным жильцам и всячески уважать их права.

Впрочем, в это мгновение Гиацинта интересовал только один человек, который лежал на кровати и вид имел настолько страдальческий, что подозрения сыщика нечувствительно стали обращаться в уверенность.

— Мне очень жаль, что вас побеспокоили, доктор, — промолвил Арапов, глядя куда-то в потолок. — Я совершенно здоров, только не вполне хорошо себя чувствую. Но ведь это с каждым случается, не так ли?

— Я не доктор, — сказал Леденцов, доставая записную книжку. — Я из сыскной полиции. — И он представился, не уточняя, впрочем, зачем ему понадобилось видеть Арапова.

Если Гиацинт рассчитывал на какую-то особенную реакцию, то его ждало разочарование. Услышав, что гость — полицейский, студент лишь перевел на него взгляд и вяло приподнял брови.

— В самом деле? И что же привело вас ко мне? Если вы по поводу утюга, который у нас украли в прошлом году...

— Нет, — отрезал Леденцов, не давая сбить себя с толку. — Я пришел к вам поговорить о Дмитрии Ивановиче Чигринском.

— Боюсь, я недостаточно хорошо знаком с этим господином, чтобы обсуждать его персону с полицией, — довольно-таки колюче заметил Модест.

— Но вы все же с ним знакомы?

— Весьма поверхностно. Я попросил его надписать карточку для матери. Она любит его мелодии.

— А вы?

— Что — я?

— Как вы относитесь к господину Чигринскому?

— Я уже сказал: я недостаточно хорошо его знаю, чтобы делать о господине Чигринском какие-то выводы.

— Отлично, давайте тогда поговорим о вашем знакомстве. Вы приходили к нему позавчера?

— Да. В университете была скучная лекция, и я решил, что могу ее пропустить.

— Каким вам показался господин Чигринский?

Арапов побагровел.

— Послушайте, господин Леденцов...

— Я уже слушаю вас, и очень внимательно.

— Вам не кажется, что ваши методы попахивают инквизицией? — пылко спросил студент. — Если уж вы знаете, что я был у этого господина... то знаете и то, как он меня встретил... и что он сказал о моих стихах! — В голосе Модеста зазвенела неподдельная обида.

— Вы были задеты его суждением?

Арапов помрачнел.

— Я не спал всю ночь... Утром меня начало знобить. Мама встревожилась, послала за доктором... Но я не могу ей сказать, что я вовсе не болен, просто дело в этом... в человеке, которого она считает замечательным композитором, а он всего-навсего... пшик! Модный музыкант... Мода пройдет, его мелодии никто и не вспомнит...

— Тогда я, простите, не понимаю, почему вы так на него обиделись, — мягко заметил Гиацинт. — Если он, как вы говорите, пшик и вообще не композитор...

В словах сыщика просматривалась определенная логика, но бог весть отчего студент, услышав их, надулся.

— Может быть, и так... но, согласитесь, как-то неприятно выслушивать про стихи, излившиеся из твоего сердца... стихи, на которые ты потратил столько фантазии, столько в них вложил... А он говорит — они ничего не стоят! И я, получается, не поэт... Зачем тогда жить? Зачем на что-то надеяться, чего-то ждать, когда... когда...

На его глазах выступили слезы. «Бог ты мой, — подумал изумленный Гиацинт, — а дело-то, оказывается, куда серьезнее, чем я думал...»

— Что вы делали после того, как ушли от господина Чигринского?

— Ничего. Гулял.

— По петербургским улицам?

— Ну, — протянул Модест, и по блеску его глаз сыщик понял, что студент заготовил для него нечто язвительное, — знаете, как-то затруднительно гулять по московским или тверским улицам, когда сам находишься в Петербурге...

— Правда ли, что вы какое-то время следовали за господином Чигринским, которому также в голову пришла фантазия погулять по улице?

Тут Арапов как-то нервно заерзал на кровати и стал кутаться в одеяло.

— Мгм... Так он что же, принес на меня жалобу? Однако он еще хуже, чем я думал...

— Никто на вас не жаловался, просто в этот день с господином Чигринским произошла серьезная неприятность, и мы проверяем все обстоятельства. Скажите, когда вы шли за ним, вы не заметили чего-нибудь особенного?

— Особенного? — изумился студент. — Где? В чем?

— Я не знаю. Возможно, вам что-нибудь показалось странным...

— Разумеется, показалось, — обидчиво пропыхтел студент. — К нему кто ни попадя подходил просить автографа... Вот что журнальная слава делает, когда ваши фотографии в прессе публикуют...

Леденцов не знал, что можно на это ответить. Сказать, что существует множество особ, портреты которых печатают в журналах куда чаще и к которым не то что за автографом, а даже за подаянием никто не подходит? Хороший довод, но сильно он поможет незадачливому стихотворцу, зацикленному на своей обиде?

— А что с ним случилось? — с надеждой спросил Модест.

Гиацинт развел руками и сделал каменное лицо. Тайна мол, следствия...

— Он соблазнил чью-то жену, и его побили? — вдохновенно предположил студент. — Поэтому в газетах ничего нет?

Тут, признаться, Леденцов на мгновение утратил дар речи.

— А...

— Я так и подумал, что дело неладно, — объявил студент, оживляясь. — Потому что с Гороховой до Фонарного он мог дойти куда короче, а вместо того сделал крюк на набережную Невы... И еще этот человек в карете...

— Что за человек? — насторожился сыщик.

— Откуда же мне знать? Такой... серьезный, с черной бородой...

— Борода на пол-лица?

— Да-да, — обрадованно закивал Арапов, — это он! Я бы не обратил на него внимания, но он ехал в карете навстречу Чигринскому, а потом развернулся и стал двигаться за ним, словно следил...

— Вот как? Не помните, где именно это было?

— Недалеко от дома в Фонарном переулке. Дмитрий Иванович, стало быть, вошел, а карета остановилась примерно в сотне шагов, у тротуара... А сильно господин Чигринский пострадал?

— Вы вынуждаете меня раскрыть тайну следствия, — промямлил Леденцов. — Мне начальство строго-настрого запретило...

При слове «начальство» он почему-то подумал об Амалии Корф и смешался окончательно.

— Скажите, вы больше не заметили ничего подозрительного?

— А что еще я мог заметить? — пожал плечами Модест. — Он вошел в дом, а я подумал, что выгляжу глупее некуда, и поспешил домой.

— Вы можете объяснить, зачем вы вообще последовали за Дмитрием Ивановичем?

— Конечно, могу. Я хотел заставить его переменить свое мнение... Хотел прочитать ему еще свои стихи, — с надеждой добавил студент.

Тут, надо сказать, видавший виды сыщик утратил дар речи вторично.

— Разумеется, ни к чему хорошему это бы не привело, — вздохнул Арапов, который по-своему истолковал молчание собеседника. — Что такие, как этот Чигринский, понимают в поэзии? Поэтому все, что в наши дни остается поэту, это уповать на время, которое все расставит по своим местам...

В дверь постучали, и через мгновение на пороге показалась опрятная старушка. Бывают физиономии, на которых крупными буквами написано: злодейство, но куда реже встречаются лица, которые только увидишь и сразу же поймешь, что перед тобой очень чистый, очень хороший и по-настоящему добрый человек. Каждая морщиночка матери Арапова источала доброжелательность, приветливость и заботу. Седоватые волосы слегка вились у висков, а в руке она осторожно держала небольшой поднос, на котором стоял стакан с каким-то настоем.

— Модестушка... Что сказал доктор?

— Это не доктор, — смущенно пробормотал студент, — это, гм...

— Брат одного из однокурсников, — быстро подсказал Гиацинт. Было просто немыслимо в присутствии такой женщины разговаривать о полиции, расследовании и прочей грязноватой суете.

— Да, — подтвердил Модест, — он пришел, чтобы рассказать мне о лекциях, которые я пропустил...

Узнав, что Гиацинт некоторым образом приятель Модеста, старушка оживилась, присела на край кресла (остальная его часть была оккупирована какими-то многомудрыми справочниками) и стала в подробностях рассказывать, как ее сын неожиданно прихворнул, как он напугал ее и служанку Глашу, как доктор Налимов не мог поставить диагноз и объявил, что опасности вроде бы нет, но больному надо беречься, а теперь она послала за другим доктором, этот уж немец и наверняка определит, что за болезнь сразила ее ненаглядного сыночка.

Слушая, как мать расписывает его недомогание, причиной которого было всего лишь задетое самолюбие, Арапов сердито засопел, откинул одеяло и полез прочь из кровати.

— Модестушка! — всплеснула руками добросердечная старушка. — Так тебе же доктор не велел вставать...

— Ну что вы, мама, честное слово, — заворчал сын, — здоров я, здоров, только немного... гм... прихворнул... может, с шапкой промахнулся — весна в Петербурге коварная, как... как европейская политика...

— Это вы его поставили на ноги? — изумилась мать Арапова, поворачиваясь к Леденцову. — Ведь он после вашего прихода так воспрянул... Гляди-ка, и румянец на щеках появился! Никак и впрямь выздоровел?

И, чуть не плача от радости, она отправилась сообщать радостную весть горничной, которая, судя по всему, была чем-то вроде члена семьи. Гиацинт воспользовался уходом старушки, чтобы расспросить Арапова о том, не запомнил ли он приметы кареты, в которой ехал бородач, или хотя бы кучера.

— Мне кажется, это был не наемный экипаж, — подумав, ответил студент. — А кучер был как кучер. Но я особо к нему не присматривался, просто мне показалось странным, что карета едет за Дмитрием Ивановичем... Конечно, я не сомневался, что у него должны быть враги... с его-то обхождением с людьми... но я даже не думал, что дойдет до такого...

Его глаза блестели, лицо разрумянилось, он прямо весь лучился довольством. Гиацинт подумал, что станет с Араповым, если он узнает, что Дмитрий Иванович не пострадал, по крайней мере, физически, — и благоразумно воздержался от того, чтобы сообщать ему эту новость.

Посмотрев на часы, сыщик спохватился, что Амалия, должно быть, уже давно его ждет, и, сославшись на неотложные дела, отклонил приглашение Араповой пообедать у них. Впрочем, справедливости ради надо сказать, что в тот день воспрянувший духом Модест ел за двоих, так что мать не могла нарадоваться на его аппетит.

ГЛАВА 22

ОСОБЫЙ АГЕНТ В ДЕЙСТВИИ

Как уже упоминалось, Казимир проспал до полудня, но это верно лишь отчасти. В полдень он приоткрыл глаза, решил, что действительность не заслуживает того, чтобы на нее смотреть, и со стоном перевернулся на другой бок. Через минуту он благополучно уснул вновь.

Пока неугомонный искатель приключений пребывал в объятиях Морфея, а выражаясь языком современным, дрых без задних ног, в большой гостиной Аделаида Станиславовна пыталась образумить свою дочь.

— Дорогая, — сказала с достоинством немолодая дама, — я буду тебе чрезвычайно признательна, если ты оставишь моего брата в покое и перестанешь придумывать для него всякие поручения. Это добром не кончится, поверь мне!

В свою защиту Амалия сказала, что задание, которое она подыскала для Казимирчика, самым лучшим образом подходило его натуре, и вообще было не похоже на то, что дядюшка как-то пострадал при его выполнении.

— Впрочем, — добавила бессердечная племянница, — даже если он пострадает, я не думаю, чтобы это была такая уж большая потеря.

Аделаида Станиславовна нахмурилась.

— Это было грубо и недостойно тебя, — сказала она после паузы, и ее голос дрогнул.

— Прости, — проговорила Амалия, уже раскаиваясь, что перегнула палку и зашла слишком далеко. — Но когда я вижу таких людей, как мой дядя, которые ничего не делают, не служат никакому делу, вообще ни для чего не пригодны...

Она не стала продолжать, но все и так было понятно.

— Ты говоришь, что он ни для чего не пригоден, а сама посылаешь его собирать информацию, — заметила Аделаида Станиславовна, стараясь говорить спокойно, хотя на самом деле была очень рассержена. — Должна тебе сказать, что мне не нравится эта твоя черта — судить всех, и даже самых близких.

— Я? Сужу? — Амалия пожала плечами. — Нет. Я не закрываю глаза на недостатки, только и всего. Впрочем, если ты мне докажешь, что дядюшка Казимир — полезный член общества, я буду только рада.

Мать вздохнула. Она понимала, что вести беседу о достоинствах и недостатках ее брата — все равно что ступать по раскаленному лезвию: как ни старайся, все равно сорвешься.

— Довольно об этом, — сказала Аделаида Станиславовна, однако сдаваться она вовсе не собиралась. — Может, я не права, но он мой брат, и я буду всегда защищать его, что бы он ни сделал. Но я уверена, он достаточно умен и никогда не сделает ничего такого, чтобы я краснела, защищая его, — добавила она.

Тут, по счастью, Маша доложила о приходе Гиацинта Леденцова, и мать Амалии ухватилась за этот предлог, чтобы поставить в разговоре точку.

— Ну, не буду вам мешать, — заявила она и удалилась, шурша платьем.

Молодой сыщик рассказал баронессе Корф все, что ему удалось узнать. Выслушав его, Амалия впала в задумчивость.

— Свидетельство господина Арапова очень важно, — сказал Леденцов. — Оно подтверждает, что имеется некий заговор, направленный против Дмитрия Ивановича Чигринского. В этом направлении я и предлагаю работать.

Амалия взглянула на него непонимающе.

— Заговор? Нет, этого не может быть...

Тут, признаться, Леденцов изумился. С его точки зрения, фраза звучала слишком по-дамски и как-то беспомощно — одним словом, совершенно не в духе Амалии. Кроме того, именно баронесса Корф первой выдвинула гипотезу, что некто хочет погубить композитора. Почему же сейчас она отказывается признать очевидное?

— Мы что-то упустили, — сказала Амалия, недовольно качая головой. — Что-то очень важное, и из-за этого вся картина искажается. Заговор? Нет, не то. Я уважаю и ценю Дмитрия Ивановича, но он не та персона, ради которой станут прилагать столько усилий.

— Тогда в ком же дело? — спросил Леденцов, чувствуя, что начинает сердиться. — В Ольге Верейской? Простите меня, сударыня, но она была еще более незначительной личностью, если можно так выразиться...

Тут он услышал за дверями какой-то странный звук, нечто среднее между стоном и рычанием — и похолодел.

— Третий или третье, — сказала Амалия, не обращая на разносившийся по дому рев никакого внимания. — Весь вопрос в том, кто это — или что это. С самого начала, Гиацинт Христофорович, с нами играют в игру. То, что нам пытаются внушить, это вовсе не то, что есть на самом деле. Все как будто вертится вокруг Верейской и Чигринского... значит, в действительности дело вовсе не в них. Бородач с собственным экипажем и кучером, судя по всему, и есть тот человек, который убил Ольгу Николаевну, затем отъехал и стал следить, что предпримет Дмитрий Иванович... А так как Чигринский обманул их ожидания, понадобился звонок в полицию, чтобы его изобличить. А если бы не было звонка, тогда что? Тело бы все равно нашли, установили факт убийства, стали искать, кто ее убил... Нет, не так...

Одна створка дверей с душераздирающим скрипом приотворилась, и в образовавшуюся щель вползло видение, отдаленно напоминающее дядюшку Казимира. Он ступал нетвердо и на каждом шагу страдальчески щурился.

— Кажется, я не вовремя... — Леденцов приподнялся с кресла, сгорая от мучительной неловкости.

— Сидите, сидите, — махнула веером Амалия. — Дядюшке вчера пришлось нелегко. Дело в том, что я послала его в ресторан «Армида», проверять, действительно ли никто ничего не запомнил о человеке, звонившем в полицию.

Тут, честно говоря, самолюбивый Гиацинт ощутил укол обиды.

— Сударыня, если вы считаете, что я плохо справляюсь со своим делом...

— Я вовсе так не считаю, — живо отозвалась Амалия. — Но вы — полицейский, а люди не любят лишний раз откровенничать с полицией. Поэтому я решила подстраховаться и... Дядя, у нас гость.

— Премного благодарен, — невпопад промямлил Казимир. После вчерашнего ему страшно хотелось пить, и он набросился на графин с водой так, словно месяц, если не больше, провел под палящим солнцем пустыни. У Леденцова невольно мелькнула мысль, что громкие булькающие звуки, которые издавал пьющий Казимир, могла издавать разве что мучимая жаждой лошадь.

— А... м... э... — промычал дядюшка, отрываясь от графина (он пил прямо из него, не опускаясь до стакана или чашки). — Амалия, я требую возмещения морального ущерба!

И он с размаху повалился в кресло, которое не заскрипело даже, а как-то заскрежетало.

— За что? — поинтересовалась племянница (которая, надо признаться, ожидала требования в этом роде).

— Ты послала меня в притон! — горестно объявил Казимир. — Там такое дрянное вино... И этикетки наверняка переклеенные! Я заметил на одной ошибку во французском, а на французских винах ошибок быть не должно...

— Дядя, кто же заставлял вас пить вино? Есть же, в самом деле, чай...

— О!

— Кофе!

— Ты меня погубишь!

— Лимонад, наконец...

— Амалия, я что, ребенок, пить лимонад? — жалобно вопросил Казимирчик. — Я и в детстве его терпеть не мог... И вообще в этом притоне у меня увели кольцо... с бриллиантом...

— Полно, дядюшка, я же прекрасно знаю, что бриллиант был фальшивый. Ни за что не поверю, что вы... Ну хорошо, хорошо! — быстро поправилась Амалия, видя, как дядюшка распрямился с видом оскорбленного достоинства. — Будет вам новое кольцо... обручальное! — не удержавшись, добавила она.

Тут Казимир схватился за грудь и отчаянно раскашлялся. Свободолюбивый дядюшка не выносил не то что разговоров о женитьбе, а даже легчайших намеков на нее.

— О-ох! Амалия! Как это жестоко с твоей стороны...

— Вам удалось что-нибудь узнать о том, кто звонил в полицию? — не утерпев, вмешался Гиацинт.

Казимир тотчас же перестал кашлять.

— Ценой невероятных трудов... Вы даже не представляете, сколько усилий мне пришлось приложить! Чего стоит один салат... якобы венский, который я съел... исключительно в интересах дела!

И он рассказал о Коко, о том, что тот жил где-то недалеко от ипподрома, был светловолос, невысокого роста и декламировал какие-то стихи о потоке.

— Что за стихи, дядюшка?

— Да не помню я! — отмахнулся Казимир. — У меня после вчерашнего все в голове смешалось... Помню, что про поток, мне даже Маша... тьфу, Лиза... или Роза? — их на память прочитала... Поток чего-то там... жутко неприятные стихи, по правде говоря... Да какая разница, в самом деле?

Сыщики переглянулись.

— Коко — это уменьшительное от Константин или Николай? — спросила Амалия.

— Не знаю, — капризно ответил дядюшка. — Коко и Коко... Вот.

— Предлагаю послать в ресторан нашего человека, вдруг этот Коко снова там объявится, — решительно промолвил Леденцов. — Это во-первых. А во-вторых, следует принять меры к тому, чтобы отыскать его, на случай, если в «Армиде» он более не покажется. Если он живет недалеко от ипподрома и бывает на бегах...

— Недалако, Гиацинт Христофорович, понятие растяжимое, — сказала Амалия. — Вокруг ипподрома множество улиц и переулков. Где именно его искать: в Большом Казачьем, на Николаевской улице, на Кабинетской, на Звенигородской? На поиски ведь не один день уйдет, потому что Николай и Константин — имена чрезвычайно распространенные, внешность у нашего доброжелателя рядовая, а цитировать стихи закон никому не возбраняет.

— И тем не менее попробовать стоит, — решительно сказал Леденцов. — Вдруг кто-нибудь из дворников, околоточных или жучков на бегах его узнает...

— Один вы не справитесь, — сказала Амалия. — Постойте, я напишу записку Александру Богдановичу, чтобы он выделил вам подмогу... и чем больше, тем лучше.

Она села к столу и своим аккуратным, красивым почерком написала письмо Зимородкову, прося его дать Леденцову людей, потому что от этого в значительной мере может зависеть успех всего дела.

Когда сыщик удалился, она повернулась к дядюшке.

— Нельзя сказать, чтобы наше расследование сильно продвинулось, но оно все же продвинулось... Кажется, я должна тебе двести рублей?

— Пятьсот, — важно поправил дядюшка.

— Дядюшка, — сказала Амалия после паузы, — у нас был уговор.

— Вот именно, — согласился Казимирчик, потирая руки. — Если я узнаю приметы, и имя, и где он живет.

— Вот именно! Согласна, приметы ты сумел разузнать. Но все остальное...

— А что с остальным такое? — совершенно искренне удивился дядюшка. — Его имя — Коко...

— Дядя!

— Да, да, имя как имя, не понимаю, чем ты недовольна? О фамилии же уговору не было... Равно как и об отчестве!

— Дядя...

— Не было, не было! Не отпирайся!

— Но адрес, дядя!

— При чем тут адрес? Напоминаю: ты хотела знать, где он живет. Отвечаю: недалеко от ипподрома. Не веришь, можешь сама расспросить... мгм... его знакомых... Да, да, и не надо так морщиться! У нас не было уговору о том, что я обязан узнать его точное местожительство, улицу, владельца дома, номер здания и прочее...

— Дядя, — мрачно спросила Амалия, — почему, ну почему вы не пошли по дипломатической части? Вы были бы незаменимы при составлении всяких договоров, которые правительство не хочет выполнять...

Казимир приосанился и выпятил грудь.

— Почему я не стал дипломатом? Это вопрос! Это вопрос! Но я вообще не люблю политики. Мгм... Так я могу на тебя положиться? Ты еще должна возместить мне стоимость перстня...

— Дядя, — проговорила Амалия, не удержавшись, — по-моему, вы ужасный человек.

— Я? — расцвел Казимир. — Вот уж не знал, что ты так высоко меня оцениваешь! Правда, я привык всегда добиваться своего. Но это наша семейная черта — ведь ты сама такая же...

И он удалился с гордо поднятой головой, оставив Амалию размышлять, был ли ее дядюшка, которого она никогда не воспринимала всерьез, слишком глуп или, напротив, слишком умен.

ГЛАВА 23

ПОЛЕТ

В тот день Гиацинту не удалось напасть на след человека, который жил недалеко от ипподрома. Зимородков согласился выделить молодому сыщику двух полицейских — остальные были нужны самому Александру Богдановичу для его собственного дела. Агенты попробовали навести справки в среде людей, связанных с бегами, но выяснить им ничего не удалось. Либо осведомители действительно ничего не знали, либо предпочитали держать язык за зубами. В ресторане «Армида» Коко тоже больше не появлялся, и над расследованием повис жирный знак вопроса. На всякий случай Гиацинт обыскал квартиру на Конногвардейской, где Ольга Верейская встречалась с любовниками, но это было просто гнездышко для свиданий, и она не хранила там почти никаких вещей.

Завтра у баронессы Корф благотворительный вечер в пользу приютских детей, на котором, как мы помним, пообещал выступить и Дмитрий Иванович Чигринский. По правде говоря, бывший гусар был не охотник до светских раутов. Он подозревал, что их посетители слегка презирают его, а потому взял себе за правило презирать их еще больше. К тому же, если говорить начистоту, Чигринскому было не до вечеринок. Накануне ночью он поднялся в кабинет, где стояло пианино, спросонья удивился тому, что там нет зеленого рояля, и, бормоча себе что-то под нос, стал записывать музыку, пытаясь одновременно и наигрывать ее. Все начиналось со звона колокольчика, который он услышал недавно, потом мелодия пошла разворачиваться сама собой, словно разматывался какой-то невидимый клубочек, и Чигринский торопился, делал кляксы, боясь, что музыка передумает и опять скроется от него. Он уже понял, что это была увертюра, и когда почувствовал, что мелодия исчерпала себя и дошла до конца, он сделал маленькую передышку и сыграл ее от первого до последнего такта, такой, какой она только что явилась ему. За дверью что-то скрипнуло — Прохор, услышав, как хозяин среди ночи музицирует, поднялся с постели и поспешил к двери кабинета, где и встал, затаив дыхание.

— Прохор Матвеич! — задорно прокричал Чигринский. — Черт с тобой, можешь войти!

И когда верный слуга вошел, Дмитрий Иванович сыграл увертюру снова, в полную силу, так что стали подрагивать и позвякивать подвески хрустальной люстры.

— Ну, что? — спросил композитор. Его так и распирало от гордости, от сознания того, что музыка вернулась, что он опять может сочинять, что он больше не сломанная шарманка, обреченная на немоту...

— Очень хорошо, Дмитрий Иванович, — сказал Прохор серьезно.

— Да ты мне всегда говоришь — хорошо, хорошо! — расхохотался Чигринский. — Что бы я ни написал...

— Так я же вижу, сколько вы сил тратите на сочинение самой коротенькой вещицы, — кротко ответил Прохор. — Как же я могу вам говорить, что плохо, когда вы так стараетесь?

— Вот оно, значит, как! — развеселился Чигринский. — А теперь я хочу, чтобы ты сказал мне правду. Какое у тебя впечатление от того, что я сейчас сочинил? Вот если бы ты услышал это в театре, что бы ты подумал? Что именно я хотел изобразить?

Прохор задумался.

— Что-то бурное, Дмитрий Иванович... Неспокойное... Там иногда звуки — словно лошади мчатся, цокают копытами... Может быть, сражение, не знаю... И этот переход, когда спокойное начало, колокольчик звенит — и вдруг все обрушивается... все звуки... лавиной... — Слуга водил руками в воздухе, не зная, как точнее описать то, что он почувствовал. — Это ведь увертюра, Дмитрий Иванович? Вы пишете...

— Да не знаю я, что пишу, — заворчал композитор, захлопывая крышку. — Пришло ко мне... само... и требует, чтобы я записал. А я что? Это ведь только так говорится, что мы выдумываем. На самом деле черта лысого ты выдумаешь, если оно не захочет, чтобы ты его выдумал... мда... Я как начинаю думать, что мне предстоит, если я полезу во все это... клавир, оркестровка... три ряда одних критиков на первом представлении! А музыканты! И что мне делать с либретто?

— Алексей Иванович вам поможет, — твердо промолвил Прохор.

— Ой ли? — прищурился Чигринский. — Это же не стихи на музыку положить. Если я решусь... заметь, я сказал «если...» Так вот, если я возьмусь за...

— За оперу? — с надеждой подсказал слуга. Чигринский побагровел.

— Опера! Держи карман шире... Напишешь героиню двадцатилетнюю... а петь ее будет какая-нибудь старая карга. А автор сиди, мучайся... Я уж молчу о том, что, если Кирсанова пронюхает, что мы с Алешкой сочиняем оперу... она же опять возьмет его в оборот и не успокоится, пока не сведет его в могилу. Нет уж, не надо мне оперы...

— Тогда напишите балет, — предложил Прохор. С его точки зрения, балет был даже лучше, потому что голоса там не заглушают музыку (а слуга придерживался того мнения, что музыка его хозяина стоила того, чтобы слушать ее без всяких дополнений).

— Балет! — вскинулся Чигринский. — Большое спасибо, удружил! Чтобы под мои мелодии прыгали и задами трясли... они же больше ничего не умеют!

— Тогда, может быть, симфонию...

— Это не симфония, — отрезал композитор. — Нет, Прохор Матвеич... Ладно, придется мне как-нибудь с этим разобраться, а ты на всякий случай шапку приготовь...

— Какую еще шапку, Дмитрий Иванович? — озадачился слуга.

— Шапку для милостыни, на паперти стоять! — рявкнул Чигринский. — Жил я легко и привольно, писал песни, сонаты, петербургские каприччо всякие... а теперь, грешный, лезу... да черт знает куда лезу. В театр! Театр, Прохор Матвеич, это такое место, куда ни один человек по доброй воле стремиться не станет...

— Дмитрий Иванович...

— Да нет у нас никакого театра, вот в чем беда, — в приливе откровенности признался композитор. — Ты думаешь, я раньше балетов и опер не сочинял, потому что критиков боялся? Ха! Только к чему стараться, лезть из кожи, работать, не щадя себя, когда вот эта публика... публика! Ни один человек не может творить в безвоздушном пространстве, он всегда сочиняет для кого-то... а какой смысл сочинять для такой публики, как наша? Они любят только то, что признано за границей. Даже если это дрянь откровенная, они все равно вопят: прекрасно! прекрасно! дайте нам еще! На своих композиторов им всегда наплевать, даже если те на голову выше какого-нибудь паршивого Мейербера: они же свои! Раз свой, значит, тебя можно пнуть походя, даже ни за что, просто для порядку, потому что русский. Сколько помоев выливали на Алешку критики, которые закатывали глаза при упоминании какого-нибудь Ламартина или Беранже? А на меня? И ведь самое обидное, что ни черта они ни в чем не смыслят, и даже искусство, о котором готовы вещать с утра до поздней ночи, они не любят и не понимают... не понимают! Написал Модест своего «Бориса Годунова» — ну, сколько человек во всей России поняли, что это вещь? Я, да Алешка, да еще с десяток человек... не больше! — Чигринский, хмурясь, поглядел на фотографию Мусоргского с размашистой дарственной надписью. — А ведь пройдет лет двадцать, и те самые, которые уходили с премьеры, не дослушав, закричат: ах, какая опера! какая опера! и все ладошки себе отобьют, аплодируя, только вот автор ничего этого не услышит! Зато каждый месяц ставится «Жизнь за царя», потому что так надо, и ставится-то скверно, без души... А вечные «Гугеноты», «Фауст»? И ведь каждый раз одно и то же: публика требует новых опер, получает их, фыркает, что они не такие, как старые, и снова идет на «Гугенотов» и Верди. Про балет я вообще молчу, для публики весь интерес балета только в том, как одна балерина отбила любовника у другой и какие у кого ножки.

— Но ведь не все же зрители... — начал Прохор, сбитый с толку.

Чигринский, утомленный собственной страстной речью, зевнул и прикрыл рот рукой.

— Ну, допустим, не все, а девяносто девять из ста — так тебе легче? В любом случае получается, что искусство в России всегда существует не благодаря, а вопреки. Да! Публика нас не понимает, да мы ей и не нужны по большому счету; власть не знает, что с нами делать, но на всякий случай пытается приручить, хотя тоже не знает, зачем ей это нужно. И в конце концов, — добавил Чигринский словно про себя, — нам не остается ничего, кроме кельи, старого пианино и музыки, если она есть. Главное, чтобы она была, и тогда на все остальное можно махнуть рукой.

Он закрыл крышку, собрал листы с нотами и прошел мимо озадаченного Прохора к выходу. «Неужели он так из-за Ольги Николаевны расстроился? — думал слуга. — Да нет, не может быть...»

Чигринский чувствовал, что он стоит на распутье, что от того, на что он решится сейчас, будет зависеть вся его последующая жизнь. И герой его — это он ощущал ясно — тоже стоял на распутье, раздираемый страстями; уже увертюра ясно показала композитору, куда все клонится. «Надо бы посоветоваться с Алешкой... Эх, какая незадача, что он сейчас за границей!»

И надо же было такому случиться, что первый человек, которого Чигринский встретил в особняке баронессы Корф (куда композитор все же отправился, предчувствуя отчаянно скучный вечер), оказался именно поэтом Алексеем Нерединым.

— Алешка, черт! — только и мог выговорить Чигринский. — Когда же ты вернулся?

— Когда? Представь себе, вот соскучился по родине и приехал...

— Ах да! Русские березы... — томно закатила глаза какая-то дама из числа гостей.

— Нет, сударыня, родина — это не только березы и даже не контур на карте, — твердо ответил Нередин. — Родина — это все!

Не утерпев, Чигринский утащил поэта в угол и там без всяких околичностей сообщил ему, что он собирается написать балет... да, пожалуй, балет... и ему позарез нужно либретто.

— Дмитрий Иваныч! Помилуй, я никогда не сочинял либретто...

— А я — балетов! Значит, сработаемся...

Нередин, не выдержав, расхохотался.

— О чем балет-то? Ты хоть примерно представляешь себе сюжет?

— Сюжет... гм... сюжет... — закручинился Чигринский. — Это, видишь ли, история человека... которого осадили со всех сторон... Гхм! Что ты так смотришь на меня?

— Нет, Дмитрий Иваныч, так дело не пойдет, — покачал головой Нередин. — Ты и сам не хуже меня знаешь, что балет — это самая искусственная форма искусства... Публика привыкла к сильфидам, к феям, к сновидениям, в которых являются дочери фараона...

— К черту сильфид! — вспылил Чигринский. — И сновидения тоже!

— Ладно-ладно, не горячись... Твой герой, кто он? Какой-нибудь принц?

— Зачем мне принц? — в изнеможении спросил Дмитрий Иванович, утирая пот. Он уже был не рад, что вообще завел этот разговор.

— Герой в балете почти всегда принц. Но если нет, тогда, может быть, он поэт?

— Поэт... поэт... — пробурчал композитор, морща свой большой лоб. — Хорошо. Пусть будет поэт... Мгм... Алеша! А у тебя нет какой-нибудь, понимаешь, истории... или баллады...

— Честное слово, нет... Может, посмотреть у Жуковского?

— Э, нет! Не хочу...

— Почему?

— Не хочу строить свой балет ни на Жуковском, ни на Пушкине, ни на Гофмане... Пушкин — это прекрасно... и Гофман — это прекрасно... но в музыке, понимаешь, это все костыли, на которые мы опираемся из страха, что иначе публика нас не поймет...

— Кто это тут говорит о балете? — вмешался в беседу друзей чей-то рокочущий бас. — Никак Дмитрий Иванович, голубчик?

Чигринский обернулся и увидел высокого, дородного господина лет сорока, с маленькими, глубоко посаженными глазками. Воинственно выпятив черную бороду и заложив большие пальцы рук в карманы, здоровяк снисходительно поглядывал на композитора с высоты своего немалого роста.

Это был Илларион Петрович Изюмов, которого, собственно говоря, Амалия пригласила на вечер с одной целью — разузнать, не известно ли ему что-нибудь о гибели Ольги Верейской. Но Илларион Петрович признал факт знакомства с Ольгой Николаевной, лишь когда ему были предъявлены написанные его рукой письма.

Припертый к стенке, он мямлил, что Ольга Верейская была милейшей души человеком, но при этом замучила его своими требованиями, и закончил мольбой ничего не говорить его жене. В последние дни Изюмов с Ольгой Николаевной не виделся, не переписывался и понятия не имел о том, что с ней могло случиться.

Само собой, после разговора с хозяйкой дома, оказавшейся в курсе его интрижки, композитор пребывал в прескверном настроении, и, едва увидев Чигринского, тотчас же решил, что нахальный собрат, не понятно почему пользующийся всероссийской славой, заплатит ему за все.

— Хм! Стало быть, ваших песенок уже вам стало мало? — снисходительно вопрошал Изюмов, нет-нет да поглядывая краешком глаза на обступивших их гостей и проверяя, слушают ли.

— Кому мало, а кому и песенку сочинить не под силу, — парировал Чигринский. Дамы заулыбались и стали кокетливо обмахиваться веерами.

— Ну вы мечтайте, молодой человек, мечтайте, — гнул свое Изюмов. — Вот когда мою оперу поставят в Мариинском...

— Как в Мариинском? — удивился кто-то из гостей. — А нам говорили, что в Большом...

Илларион Петрович прикусил язык, кляня себя за болтливость, но было уже поздно. Дело в том, что он действительно собирался подписать договор с Большим, но тут его работой заинтересовались в Мариинском, и Изюмов воспользовался ситуацией, чтобы потребовать у москвичей увеличения гонорара. А чтобы в Большом не стали долго раздумывать, он приехал в Петербург и сделал вид, что всерьез ведет переговоры с другим театром...

— Как поставят, так и выставят! — отчетливо произнес Чигринский.

В толпе гостей вспорхнул смешок. Изюмов побагровел.

— Для человека, который даже не имеет специального образования, вы на редкость нахальны, господин Чигринский!

Этот довод Дмитрий Иванович слышал сотни, если не тысячи раз, но именно сегодня он отчего-то завелся и вспыхнул, как порох.

— Чушь! Искусство принадлежит всем... Вы думаете, что оно покорится вам, если вы кончали консерватории и получали бумажки о том, какие вы образованные, а я говорю: нет! Школа, образование — это все прекрасно, но, если нет таланта, а вы рветесь сочинять... это все равно что пытаться испечь хлеб без муки!

Изюмов понял, что тут ему Чигринского не пробить, и принял решение зайти с другой стороны.

— Искусство принадлежит всем — надо же, какая новость! Да вы революционэр, батенька! — промолвил он, налегая на «э» и с фальшивой скорбью качая головой.

В воздухе запахло нешуточным скандалом. Гости приободрились: вечер у баронессы Корф выходил гораздо более интересным, чем они думали вначале. Чигринский стоял, выставив ногу вперед и сверкая глазами, и был он одновременно устрашающ и прекрасен. Медведь, чистый медведь, мелькнуло в голове у Амалии; если присмотреться, то заметно, что при ходьбе он даже слегка косолапит. И еще она подумала — смутно, но все же подумала, — что покойная Оленька Верейская была, судя по всему, на редкость глупа, раз не сумела оценить такого человека.

Увы, на самом интересном месте спора хозяйке дома пришлось отлучиться, чтобы пойти встречать некоего князя, который почтил своим присутствием ее вечер. Когда Амалия вернулась наверх, корабль Изюмова, судя по всему, получил пробоины ниже ватерлинии и бесславно шел ко дну, в то время как корабль Чигринского и не думал сдаваться.

— Признайте же в конце концов, что большинству людей, как бы это ни было прискорбно, искусство вообще не нужно! — кричал Изюмов, из последних сил пытаясь остаться на плаву. — Предложите любому выбор — бутылку водки или пойти слушать музыку, — сколько выберет музыку? Один из десяти? Один из ста? Вот то-то же! Не стройте себе иллюзий! Искусство — это то, к чему человечество шло веками, тысячелетиями, и не надо думать, что каждый будет в состоянии вообще понять, что это такое!

— А я говорю, — кричал Дмитрий Иванович, азартно сверкая глазами, — что даже в пещерах, где жили эти... как их... первобытные, употреблявшие друг дружку в пищу, находят рисунки невероятной красоты! Потому что во все времена есть люди, и есть масса! Надо дать человеку возможность быть человеком!

— Ха! Дать вы можете что угодно, только вопрос, пожелает ли ваш человек этим воспользоваться!

— А вот мы сейчас проверим! — объявил Чигринский, которому не то что море, а и океан был в это мгновение по колено, и даже небо. — Водка против музыки, и кто кого... Госпожа баронесса, у вас ведь есть водка? Есть? Вот и прекрасно! Попросите подать ее... не знаю... куда-нибудь в другую комнату, а я пока перейду туда, где стоит ваш замечательный крокод... я хотел сказать, рояль... Прошу вас, дамы и господа! Не стесняйтесь! Водка — прекрасная вещь, если употреблять ее в меру, как сказал наш полковой врач... он-то, кстати, меры не соблюдал, но умер вовсе не от пьянства, а от воды, потому как утонул однажды при переправе... Ирония судьбы, да-с! Итак: водка против музыки! Господин Изюмов уверяет, что мне ничего не светит... не так ли, Илларион Петрович? Вот мы и проверим, прямо сейчас проверим, дамы и господа!

Это был не человек, а какой-то вихрь, и гости не успели опомниться, как, увлекаемые им, оказались в комнате, где цвели экзотические растения и стоял зеленый рояль. Миг, и Чигринский уже уселся за инструмент, откинул крышку — и из-под его пальцев полилась музыка.

Гости, присутствовавшие на том вечере, позже утверждали, что в жизни им доводилось слышать и Рубинштейна, и Гофмана, и других известных пианистов, но так, как играл тогда Чигринский, не играл никто из них. И рояль был уже не рояль, а словно несколько инструментов сразу, потому что звуки, которые из него порой извлекал Дмитрий Иванович, были под силу скорее флейте, гобою или даже арфе; и сам Чигринский был уже не тот медведь, которого они видели несколькими минутами раньше — то в нем трепетала душа бабочки, то он превращался в огонь, то мчался, как стремительный поток, сметая все на своем пути. Все ушло, все отступило, не было больше ни жизни, ни смерти, ни боли, ни страданий — ничего, кроме музыки; и в какое-то мгновение все почувствовали, как рояль взмыл ввысь вместе с волшебником, который сидел за ним, и вслед за ними оторвался от земли весь огромный дом, в котором они находились. Он летел над Петербургом, поднимаясь все выше и выше, и сами они — те, кто сидел, кто стоял, кто застыл на месте, боясь пропустить хоть один звук — вопреки всем законам тяготения воспарили к небесам. Их души реяли под звездами, качаясь на волнах божественной мелодии, далеко, далеко от земли, и это вовсе не было страшно — это было прекраснее всего, что только можно себе вообразить.

ГЛАВА 24

ПРИНЦ И НИЩИЙ

Три часа спустя вконец измученный Чигринский лежал на диване в одной из гостиных особняка, пытаясь прийти в себя и вновь ощутить почву под ногами. Рядом с ним, держа его за руку и преданно заглядывая в лицо, сидела красавица балерина Лидия Малиновская, и бриллиантовое колье на ее шее все-таки блестело менее ярко, чем ее глаза. В мягком кресле по соседству с диваном удобно расположился Алексей Нередин. Держа в пальцах ручку, он время от времени делал какие-то пометки в черной записной книжечке величиной с ладонь. Обыкновенно из таинственной книжечки выходили стихи и разные мысли, записанные в основном для себя самого, но на сей раз ее назначение было иное: попытаться найти некую общую линию, чтобы выработать сюжет для либретто, который устроит требовательного композитора.

— Ты пойми, я не против фей и всей этой сказочной мишуры, — говорил Чигринский, морщась. — Раз надо, значит, надо. Но мне-то хочется, чтобы в основе все-таки лежала понятная человеческая история, чтобы персонажам можно было сочувствовать, а не просто смотреть на прыжки, всякие антраша...

«Господи, и куда только я суюсь? — в который раз в смятении подумал он. — Ведь меня живьем съедят, как пить дать, съедят...»

— Вы ведь не забудете обо мне, господа? — кокетливо спросила прекрасная Лидия своим завораживающим голосом.

— Как можно, Лидия Сергеевна! — улыбнулся Алексей.

А в гостиной напротив Амалия и барон Корф слушали рассказ Леденцова о том, что ему пока не удалось напасть на след таинственного Коко. С точки зрения Александра, сыщик вполне мог бы найти другое время для своего рассказа, но, раз Амалия придавала делу такое значение, барон был согласен закрыть глаза на... ну, в общем, на что угодно.

— Меня чрезвычайно удивляет, что Александр Богданович не дал вам больше людей, — сказала Амалия, подчеркнув голосом слово «чрезвычайно». — Два помощника, чтобы обойти весь район, — это все-таки слишком мало.

Она встала и подошла к окну, и даже по ее спине барон видел, что молодая женщина не на шутку рассержена.

— У господина Зимородкова сейчас много дел, — проговорил Леденцов, но слова его звучали как-то неубедительно, и будь Амалия чуточку хуже воспитана, она бы непременно ухватилась за них, чтобы наговорить множество колкостей в адрес чиновника особых поручений. Однако она не стала этого делать.

— Саша! — позвала она. Барон встал и подошел к ней.

— Мне кажется, корнету не стоит там стоять, — объявила Амалия, указывая на молодого человека, топчущегося под фонарем. — Пригласите его в дом.

— Я не могу этого сделать, — спокойно заметил Александр.

— Почему?

— Потому что существует такая вещь, как субординация... И потом, вполне достаточно сказать слуге, что вы хотите видеть господина Павлова.

Леденцов был человек посторонний, но этот короткий обмен репликами сказал ему куда больше, чем подразумевало его содержание. Со стороны Амалии, заметившей корнета, который зачем-то пришел к ее дому, но не решался войти, было вполне естественно пригласить его, пусть даже это шло вразрез с правилами этикета. Александр же думал не о человеке, который зябнул снаружи под дождем, а о том, как будет выглядеть он сам, если пригласит его. Противоречия, сказал себе Гиацинт, эти маленькие противоречия, которые в личных отношениях всегда играют куда большую роль, чем крупные размолвки, наверняка решили все и в этом союзе. Впрочем, если говорить начистоту, Леденцов вообще не понимал, как такая женщина, как Амалия, могла всерьез увлечься этим надутым и самовлюбленным флигель-адъютантом.

— Я приглашу господина Павлова, — сказал сыщик вслух, поднимаясь с места.

В соседней комнате меж тем трое сообщников — а люди, связанные между собой музыкой, волей-неволей превращаются в сообщников — продолжали обсуждать возможные сюжеты.

— Только, пожалуйста, не надо заставлять меня умирать на сцене, — попросила Лидия. — Я этого ужасно не люблю!

— Честно говоря, я не знаю, как быть, — сказал Нередин, обращаясь к Чигринскому. — Мне в твоей увертюре послышались звуки битвы... Война — в балете, это что-то новое!

— Я думаю, он все-таки может быть поэтом, — заметил композитор, не слушая его. (Как видим, все трое собеседников говорили невпопад.)

— Кто?

— Главный герой.

— А как же героиня? — капризно протянула Лидия. Она уже сейчас собиралась блистать в главной роли и никому не желала уступать свое место.

— Героиня? Да, — решительно сказал Чигринский, — она — волшебница.

Тут он почему-то подумал об Амалии и улыбнулся. Однако балерина приняла улыбку на свой счет и приободрилась.

— Добрая? — уточнил Нередин.

— М-м, — неопределенно буркнул композитор, — я бы не сказал... То есть все возможно...

— Поэт, война и волшебница, — вздохнул Алексей, делая какие-то заметки в своей книжке. — Ну...

— Тристан и Изольда? — с надеждой предложила Малиновская. — Сейчас в моде все средневековое...

— Тристан не был поэтом.

— Зато он был принцем, а это как раз то, что нужно для балета.

— Карл Орлеанский, — неожиданно сказал Нередин, и его глаза блеснули.

— Кто это? — удивился Чигринский.

— Французский принц, который попал в плен к англичанам и провел там почти всю жизнь. Это было во времена Столетней войны. А еще он сочинял стихи.

— Алеша, ты с ума сошел? — застонал Чигринский, ворочаясь на диване. — Господи боже мой, да в России никто не знает об этом Карле Орлеанском... Он хоть хорошие стихи сочинял?

— Вполне.

— Ну и что мы будем с ним делать?

— Не знаю, но как персонаж для балета он годится. Принц, поэт, война... Не думаю, что на самом деле ему хотелось воевать.

Лидия надулась. Ей казалось, что ее роль отходит на второй план, а на первый выдвигается этот противный премьер Гремиславский, с которым у нее были плохие отношения — как, впрочем, со всеми ее бывшими любовниками.

— Ну и зачем он пошел на войну? — с легкой иронией спросила она, обмахиваясь веером. — Сидел бы дома, сочинял свои стихи...

— А он не мог не воевать, — заметил Нередин. Он оживился, как всегда, когда чувствовал, что ему попалась интересная тема. — Его отца убили по приказу герцога Бургундского, сторонника англичан.

— Смотри-ка! — Чигринский даже приподнялся на диване, хотя до сих пор чувствовал себя как выжатый лимон. — Знаешь, Алеша, а из этого может что-нибудь да выйти!

— Вы собираетесь показать на сцене убийство? — Лидия учтиво, но с гримаской крайнего неодобрения приподняла свои тонкие брови. — На императорской сцене?

— Нет, этого не будет, — решительно ответил композитор. — Но ведь ничто не мешает ему рассказать волшебнице, как он попал на войну.

— А что это будет за волшебница? — загорелась любопытством балерина.

Пока в синей гостиной особняка на Английской набережной шло увлеченное обсуждение будущего балета, в красной гостиной напротив корнет Павлов, которого привел Леденцов, не знал, куда деться от смущения. Амалия ему очень нравилась, но он был не настолько глуп, чтобы не понимать, что сам-то он барону Корфу не нравится совершенно и тот скорее всего вообще не потерпел бы его присутствия, если бы не хозяйка дома.

— Вы не пьете чай — он остыл? — встревожилась Амалия, видя, что гость даже не прикоснулся к чашке.

— Я прошу меня простить, — сказал молодой человек, волнуясь. — С моей стороны было дерзостью прийти сюда, я знаю...

— Рад, что вы это понимаете, — уронил неумолимый Корф.

Амалия метнула на него сердитый взгляд, но так как взглядом прошибить хладнокровного барона было невозможно, она решилась на крайние меры. Леденцов позже долго размышлял, не показалось ли ему, но был вынужден все-таки признать, что Амалия — да, да, взяла и ущипнула своего бессердечного супруга. Последствия столь опрометчивого поступка оказались довольно-таки неожиданными. Ледяная маска, которую привык носить барон, соскользнула с него, и сыщик воочию убедился, что Александр еще способен удивляться, как все нормальные люди. Он даже покраснел и покосился на Амалию, словно не веря, что она могла — вот так, запросто, ущипнуть его, серьезного человека, флигель-адъютанта и прочая, и прочая...

— Поправьте меня, если я ошибаюсь, — сказала Амалия, обращаясь к Владимиру, — но мне почему-то кажется, что вы искали нас, чтобы сообщить что-то, возможно, важное, что касается гибели Ольги Верейской. Я права?

Смущаясь, корнет подтвердил, что он искал господина Леденцова... а дома у того сказали, что он отправился на вечер к баронессе Корф... и он решил... он решил...

— Вы спрашивали меня, не помню ли я чего-нибудь странного, — повернулся Владимир к Леденцову. — Последний раз я видел ее за два дня до ее гибели, и тогда... В общем, это нельзя назвать странным... но я подумал, что вам может пригодиться...

— Мы вас слушаем, — проговорила Амалия, видя, как волнуется молодой человек.

— Одним словом... сияло солнце, и мы отправились кататься... Заехали заодно к модистке Ольги Николаевны, забрали шляпку... И вот, когда мы ехали по Спасскому переулку... как раз миновали церковь... Простите, мне очень сложно все это рассказывать...

Александр слушал со скукой, предчувствуя, что все, что скажет корнет, окажется пустяками и только заставит Амалию и унылого сыщика напрасно потерять время. Но на лице Леденцова было написано внимание, и барон, вздохнув, отвернулся.

— Ольга Николаевна сказала вам что-то, что вы считаете нужным повторить нам? — терпеливо спросила Амалия, видя, что корнет не знает, как продолжить разговор.

— Нет, там было другое... Она заметила кого-то на тротуаре и попросила кучера остановиться. Я понял, что это был какой-то ее давний знакомый...

Ольга Николаевна была очень оживлена... у меня до сих пор в ушах звенит ее смех...

— И что же странного в том, что она встретила знакомого? — не выдержав, высокомерно осведомился барон Корф.

— Мне показалось, что он был этому вовсе не рад, — помедлив, признался молодой человек. — Он как-то жался к стене и, по-моему, пытался убедить ее, что она ошиблась... Ольга Николаевна удивилась, сказала что-то вроде: «ну, как знаешь» — и велела кучеру трогать...

— Что это был за человек, как он выглядел? — спросил Леденцов. — Она называла его как-нибудь?

— Он был невысокого роста, — подумав, ответил Владимир. — Блондин лет двадцати семи или около того, с небольшой бородой. Одет так, как одеваются рабочие... Думаю, она хорошо его знала, потому что была с ним на «ты», но по имени его не называла. Помню, она спросила, что за маскарад он затеял, и еще спросила, почему он не бреется. — Корнет робко взглянул на Амалию. — Понимаете, ведь получается, что я видел ее незадолго до смерти... И я пытаюсь понять — может, что-то было необычное, странное... подозрительное... Но ничего ведь не было, кроме этой встречи...

— Почему вы считаете встречу актрисы со старым знакомым подозрительной? — спокойно спросил Александр. — По-моему, тут нет ровным счетом ничего особенного...

— Разве я не сказал? — пробормотал молодой человек. — Но... но... Понимаете, это произошло в Спасском переулке... Возле дома генеральши Громовой, которую убили в ту ночь.

ГЛАВА 25

ЧЕЛОВЕК С НИКОЛАЕВСКОЙ УЛИЦЫ

— Спасский переулок!.. — простонал Леденцов. — Ну конечно же! Как я мог упустить из виду...

— Человек из ресторана, — негромко уронила Амалия. — Тот самый, который известен нам под именем Коко.

— Похоже, это и впрямь он... И приметы сходятся.

Именно появление Коко так поразило Ольгу Николаевну, что она даже упомянула о нем горничной, сказав, что встретила знакомого. Соня решила, что хозяйка имела в виду Владимира, но на самом деле Верейская говорила вовсе не о нем... «Ты ничего не понимаешь», — отмахнулась Ольга Николаевна, когда Соня предположила, что речь идет о корнете. Почему Верейскую так заинтересовала эта встреча? Был ли неуловимый Коко просто ее знакомым или...

— О-о! — вырвалось у Амалии. — Боже мой...

— Амалия Константиновна... — Тон молодой женщины был так странен, что Леденцов изумился.

— Маскарад, — блестя глазами, объявила Амалия. — Он был странно одет... Вспомните, ведь в ресторане он ничем не отличался от остальной публики, иначе дяде сказали бы об этом! А в Спасском переулке он был одет как рабочий... Но не это самое важное. — Амалия повернулась к изумленному, ничего не понимающему корнету. — Так она спросила, почему он не бреется?

— Д...да.

— Гиацинт Христофорович, помните поговорку?

— Поговорку? — вытаращил глаза Леденцов.

— «Брит, как актер», — подсказал Александр, который быстрее сообразил, куда клонит Амалия. — Он актер!

— Бывший актер, судя по всему, — подытожила молодая женщина, незаметно пожав его руку в знак благодарности. — Он играл вместе с Ольгой Верейской. Не знаю где, не знаю как, но круг поисков сужается. Увидев его небритым и в одежде рабочего, она удивилась... а он пытался ее убедить, что она обозналась... Все сходится. Мы ищем бывшего актера, которого зовут Николай или Константин, прозвище — Коко, он интересуется бегами и декламирует... Как же я раньше не поняла, что он декламирует! Маша! Маша!

Маша впорхнула в дверь, получила задание во что бы то ни стало привести дядюшку Казимира и упорхнула. Через минуту с видом мученика явился дядюшка, который собирался уже ложиться спать после вечера. Однако тут он заприметил на диване рядом с Амалией Александра (которого Казимир побаивался) и поторопился придать лицу самое любезное выражение.

— «Зашел в такую глубину потока крови, что дальше нет пути, а воротиться — вновь значит перейти поток», — процитировала Амалия. — Может быть, не совсем точно, потому что я давно не видела перевода, но скажи мне: это то, что читал посетитель ресторана? Ты еще упоминал, что стихи произвели на тебя неприятное впечатление.

— Боже! — скривился Казимир. — Да, теперь я вспомнил... Он читал именно их... а девушки мне пересказали.

Амалия и Леденцов переглянулись.

— А мы-то какие только стихи о потоках не вспоминали... Можете идти, дядя, и простите, что побеспокоила вас, — закончила она официальным тоном.

— Что это? — мрачно спросил Александр, когда дядюшка удалился.

— Шекспир. «Макбет». Если бы я поняла это раньше, то поняла бы и все остальное. Кто в России способен цитировать «Макбета»? Либо актер, либо человек, влюбленный в Шекспира. Но люди, которые по-настоящему любят Шекспира, не идут на преступления.

— Он играл Макбета, — скорее утвердительно, чем вопросительно заметил Леденцов.

— Да, это вполне вероятно. Звоните Александру Богдановичу. — Амалия посмотрела на часы. — Уже поздно, но готова держать пари на что угодно, что он до сих пор на работе... Судя по всему, дело Ольги Верейской каким-то образом связано с убийством генеральши Громовой, а значит, завершать расследование придется вместе. — Баронесса Корф повернулась к корнету, который сгорбился в кресле, опустив плечи, и, казалось, был даже не способен удивляться тому, что расследованием командовала хорошенькая женщина. — Я чрезвычайно благодарна вам, Владимир Сергеевич... Должна сказать, что вы очень нам помогли. Если я могу что-то сделать для вас...

— Да, — тихо ответил молодой человек. — Я хотел бы... хотел бы увидеть ее. Это можно устроить?

— Да, разумеется.

— У меня только один вопрос. — На скулах молодого человека проступили розовые пятна, он стиснул челюсти. — Это он убил Ольгу Николаевну? Тот человек, о котором вы говорили?

— Нет. Это сделал сообщник, о котором у нас до сих пор нет почти никаких сведений. Но вы не тревожьтесь, — добавила Амалия, — делом занимаются лучшие силы сыскной полиции, и я уверена, что преступление будет раскрыто...

...Шел уже третий час ночи, когда корнет Павлов и сыщики — Гиацинт Леденцов и Александр Зимородков — покинули особняк на Английской набережной. Нередин, Чигринский и Лидия Малиновская уехали гораздо ранее, причем точности ради следует добавить, что композитор и балерина удалились вместе, а поэт в одиночку направился к себе.

— Зачем вам это надо? — не удержался Александр.

Он понимал, что ему тоже пора удалиться, но, по правде говоря, ему так не хотелось никуда уезжать, что он готов был задержать Амалию любым, пусть даже самым неподходящим вопросом.

— Надо — что? — спросила молодая женщина, приподняв брови, и уже в ее тоне читались неодобрение и легкий вызов.

— Заниматься, — Александр попытался подыскать слово, которое наиболее полно выразило бы то, что он чувствовал, и наконец с оттенком брезгливости произнес, — этой уголовщиной.

— Продолжайте, продолжайте, — любезно отозвалась Амалия, но это была, пожалуй, самая ледяная любезность на свете. — Вы, кажется, хотели добавить: «Не все ли равно, кто и почему убил эту никчемную Ольгу Верейскую...»

— Я этого не говорил, — чуть поспешнее, чем стоило бы, возразил Александр.

— Но думали, не так ли?

И она увидела, как замкнулось в холодной непроницаемости это красивое лицо, которое когда-то было для нее главным лицом на свете.

— Боже мой!

Услышав смех Амалии, Александр вздрогнул, как от удара. (Амалия не смогла бы объяснить, почему она смеялась... она испытывала облегчение от того, что дело наконец сдвинулось с мертвой точки, и в то же время не могла не думать, что отношение Александра к жизни, по крайней мере к некоторым ее аспектам, кажется ей нелепым. Но барон Корф, конечно, принял смех только на свой счет — и он его задел.)

— Хотите знать правду? — с неожиданной горячностью проговорил он. — Мне не нравится, что вы находите время для кого угодно...

— Кого угодно, только не для вас? — Амалия покачала головой. — Полно, Саша. По-моему, мы уже обсуждали это тысячу раз, если не больше... Идите лучше спать.

...И вот тут он растерялся по-настоящему.

— Но...

— Да, да, да, — нараспев проговорила Амалия, поднимаясь с места. — Утром посидите за столом вместе с Мишей, поможете ему решить задачу... он и сам ее прекрасно решит, но вы все равно ему поможете. Маша! Барон Корф остается ночевать у нас.

Можете выбрать любую незанятую спальню, — добавила она, обращаясь к Александру. И хотя она никак не выделила слово «незанятую», Александр все же выделил его для себя и опять обиделся.

Когда утром он спустился к завтраку, то был полон решимости дуться на весь свет, но сын так обрадовался его присутствию, что у барона не хватило сил следовать намеченной линии поведения. После завтрака он повез Мишу в гимназию, а Амалия рассказала матери о том, к каким выводам пришло следствие.

— Мы перебирали самые разные причины, по которым Ольга Верейская могла встретить свою смерть, но забыли об одной: о том, что человеку достаточно увидеть или услышать что-то не то, и он вмиг сделается неугодным. То, что бывшая актриса увидела в Спасском переулке, стоило ей жизни.

— Я рада, — невпопад заметила Аделаида Станиславовна, и в ответ на недоумевающий взгляд дочери пояснила: — Я все время опасалась, что ее прикончил этот композитор, а тебе бы это не понравилось.

— С чего ты взяла? — довольно сухо спросила Амалия. — Я не питаю к господину Чигринскому ничего, кроме естественной симпатии к большому таланту.

— Я имею в виду, тебе было бы неприятно, если бы ты ошиблась, — спокойно отозвалась старая дама. — Ты же с самого начала решила, что он невиновен, хотя все обстоятельства были против него.

...Пока в особняке на Английской набережной Амалия пыталась подыскать достойный ответ на замечание своей матери, по лестнице одного из доходных домов Николаевской улицы, расположенного недалеко от ипподрома и Семеновской площади, спускался молодой человек вполне приятной наружности, улыбчивый и белокурый. Внизу лестницы его уже ждали два полицейских чина и взволнованная домовладелица.

— А вот и Николай Петрович Черемушкин, — сказала она.

Молодой человек сделал такое движение, как будто передумал спускаться и собирался зачем-то вернуться к себе наверх, но тут один из чинов — неповоротливый с виду, грузный мужчина лет пятидесяти — совершил нечто вроде телепортации и в мгновение ока переместился к Николаю Петровичу, а переместившись, без всякой фамильярности, но весьма твердо прихватил его за рукав. После этого господин Черемушкин сник, покорился судьбе и безропотно дал себя увести.

А дальше — дальше был словно какой-то мягкий, вкрадчивый, ватный сон, в котором он запутывался все больше и больше и не видел никакого способа выбраться оттуда. Никто не кричал на него, не запугивал, напротив: во всем чувствовалась рутина, и подавленный Николай ощущал, что она засасывает и его, как болото. Полицейские — старый, отзывавшийся на имя Гаврила Сидорович, и молодой, во всем старавшийся подражать старшему коллеге, — смотрели на него, Николая, со снисходительным презрением, и чувствовалось, что точно так же смотрели они на всякого пойманного ими преступника. Где-то звенел телефон, по коридору вели какую-то женщину в платке, с простым крестьянским лицом, которая вырывалась и истошно голосила. Молодой полицейский обернулся и поглядел на нее с боязливым любопытством.

— Это она пять человек топором порешила? — не удержавшись, спросил он.

— Она, — хмуро ответил Гаврила Сидорович. — Ей любовник обещал жениться, ну, уехал в Питер на заработки и женился на другой. Она узнала, приехала, убила его, жену, ее родителей и девочку-прислугу. Девочке всего одиннадцать было... Эх!

— Я никого не убивал, — внезапно сказал Николай.

— Это уж начальство разберется, — спокойно ответил немолодой полицейский и стал скручивать папиросу.

Начальством оказался хмурый и, как уловил Черемушкин, взволнованный молодой человек, откликавшийся на имя Александр Богданович. Увидев, что им занимается не какой-нибудь поседевший на службе зубр, который всех преступников видит насквозь и знает любой ответ еще до того, как задаст вопрос, Николай немного приободрился.

— Однако мне странно, милостивый государь... Документы мои в полном порядке... против властей не злоумышляю, веду размеренный образ жизни... За что же такая обида?

— Против властей не злоумышляете, это хорошо, — рассеянно кивнул чиновник, изучая его документы. — Шекспира читаете, кажется?

— Ну... да.

— В ресторан «Армида» захаживаете?

— Я...

Глупо отрицать, мелькнуло молнией в мозгу. Ведь приведет девиц, официантов, и те будут вынуждены показать на него... Неужели он действительно попался? Да нет, не может быть... Не может быть, чтобы так просто... так глупо...

— Ресторации уважаю, — помедлив, признался Николай. — В «Армиде» бывал, но не знал, что сие воспрещено законом...

— За что убили Ольгу Николаевну Верейскую?

Такого удара с ходу Николай не ждал — и растерялся.

— Что? — пролепетал он.

— А в доме Громовой много взяли? Кровавое золото карманы не жжет?

— Я не понимаю, о чем вы... — проблеял Черемушкин, и глаза его забегали.

— Вы намерены все отрицать?

— Я намерен все отрицать, — механически повторил Николай. — Я не знаю никакой Верейской. О деле Громовой читал в газетах, но... при чем тут я?

— Очень хорошо, — уронил чиновник, и его глаза блеснули. — Ну что ж, обратимся к показаниям свидетелей.

И свидетели не заставили себя ждать, причем первым из них был некий корнет Павлов, который, как оказалось, сопровождал Ольгу Николаевну в тот день.

«Ах, черт! — бледнея, подумал Николай. — Он, значит, был в глубине кареты, и я его не заметил... Не заметил! Если б мы его тоже прикончили, никто ни за что бы не догадался...»

— Что вы делали в Спасском переулке за несколько часов до убийства генеральши Громовой и ее людей? — спросил Зимородков после того, как корнет официально опознал Черемушкина, криво расписался в бумагах и удалился, комкая в руках фуражку, которую забыл надеть.

— Я не знаю, о чем говорит этот господин... Меня там не было...

— Почему вы были одеты, как рабочий, хотя по паспорту вы мещанин, а по профессии — бывший актер?

— Я никогда не одевался рабочим... Зачем это мне?

— Ну, например, затем, что вы готовились к ограблению и решили загодя, так сказать, осмотреться на местности. Нет?

— Что вы, милостивый государь... Нет, нет...

— Наши люди выяснили, что за последние дни вы сделали на бегах ставок на несколько сотен рублей и все проиграли. Скажите, откуда у вас такие деньги?

— Я получил наследство! — взвизгнул Черемушкин. Нервы у него начали сдавать. — Наследство, ясно вам?

— От кого, когда и где? Или вы изволите называть наследством средства, полученные после ограбления и убийства?

— Я никого не убивал!

— Но вы рассказали кое-кому о встрече со старой знакомой, которая увидела вас не в то время и не в том месте и могла потом вспомнить об этом обстоятельстве? Да или нет?

— Я никого не убивал! — Николай схватился за виски, рот его дергался. — Боже мой...

Но Зимородков не отступал. Его противостояние с преступником было похоже на схватку гончей с зайцем — заяц петлял, как мог, отчаянно пытался запутать следы, но упорная, умная, целеустремленная собака неуклонно преследовала его, и близок, близок был тот миг, когда зайцу уже просто будет некуда скрыться...

— Зачем вы позвонили в полицию?

— Я не звонил!

— У меня есть свидетели, которые утверждают обратное. Также нам стало известно и об анонимном письме. Оно написано печатными буквами, но по стилю ясно, что его писал образованный человек...

— Я не посылал в газету никакого письма!

— В газету? Я не говорил, что оно было послано в газету...

Николай молчал, кусал губы и был бледен.

— Его написали вы или ваш сообщник с накладной бородой на пол-лица?

Молчание.

— Почему вы так упорно хотели бросить подозрение на Чигринского? Чтобы отвести подозрение от себя самих? Вы настолько боялись, что мы узнаем правду?

— Я не понимаю, о чем вы!

— Как зовут вашего сообщника?

— Я не...

— Кто он? Где он живет?

— Я ничего вам не скажу!

Валерия Вербинина

— А я скажу вам кое-что, Николай Петрович. — Зимородков перегнулся через стол, его глаза на бледном лице казались двумя черными провалами. — Я знаю, слышите, знаю, что вы и ваши сообщники провернули не одно преступление... что вы действовали не только в Петербурге, но и гастролировали по европейской части России... что в результате этих гастролей были убиты 32 человека, а возможно, и больше. Вспомните ограбление Никитиной в Самаре, Булыхиной в Петербурге, Мавриных в Саратове, Тоновых в Москве... Всюду применялся один и тот же способ действий: грабители входили ночью в богатый дом, убивали всех и бесследно исчезали с краденым добром. Убитые никак не были связаны друг с другом, но вашу банду выдало то, что было присуще только вам — хладнокровие и циничная жестокость преступлений. — Николай молчал, не поднимая глаз. — Все кончено, милостивый государь, как вы не можете понять этого? Будет громкий процесс, каких давно не было в России, и вам придется ответить за все. Не только за ограбления, но и за пролитую кровь... особенно за кровь, пусть даже вы всего лишь стояли неподалеку, когда резали этих несчастных. — Черемушкин вздрогнул, и по выражению его лица Зимородков убедился, что угадал верно. — Вы ведь образованный человек, «Макбета» читали — как вы могли, Николай Петрович, как вы могли?

Черемушкин долго молчал. Потом тихим, бесцветным голосом промолвил:

— Простите... Мне... Я... Мне надо подумать... Я должен подумать. Я не могу рассказать вам всего...

сейчас... Это страшные люди, вы даже не представляете, насколько страшные... Мне надо собраться с мыслями. Я расскажу... потом...

И неожиданно он разрыдался.

— Моя мать, о боже, моя бедная мать... Она не переживет этого! Что я наделал...

Он всхлипывал и раскачивался на стуле, с преступником сделалась настоящая истерика. Зимородков вызвал доктора, тот дал Черемушкину успокоительных капель.

— Гаврила Сидорович! Заприте этого господина, да пусть его стерегут покрепче...

— Не извольте беспокоиться, Александр Богданович... Сам прослежу. У меня не убежит... Шагай, шагай, любезный, — сурово обратился старый полицейский к преступнику. — Небось как душегубствовать, так ты резвее шел, и сомнения никакие тебя не мучили...

Зимородков посмотрел в окно и увидел, что был уже вечер. Только тогда он опустил голову на руки и понял, как страшно устал.

ГЛАВА 26

РВУЩИЕСЯ НИТИ

Амалия не питала относительно полиции никаких иллюзий, и все же, когда на следующее утро Зимородков не позвонил ей, она почувствовала себя задетой. Вчера Леденцов дал ей знать по телефону, что Коко, он же бывший актер Николай Петрович Черемушкин, в результате стандартной полицейской операции был найден и задержан. Тогда же

Амалия впервые услышала о том, что Зимородков занимался не просто поисками убийц генеральши Громовой, а искал дерзкую и неуловимую банду, и что, стало быть, речь шла уже не о единичном преступлении, а о целой серии злодеяний. Теперь следовало ухватиться за нить, оказавшуюся в распоряжении следствия, — Николая Черемушкина — и осторожно распутать весь этот кровавый клубок. Провести обыск в его квартире, опросить всех, кто с ним сталкивался и, само собой, прежде всего допросить самого Черемушкина. И хотя Амалия не сомневалась, что Зимородков справился бы и без ее подсказок (потому что баронесса Корф никогда не недооценивала других с целью придать побольше веса себе самой), ей не могло нравиться, что ее, получается, отодвинули от расследования, едва стало ясно, в каком направлении следует вести поиски. Поэтому она в глубине души обрадовалась, когда услышала от Маши, что только что прибыл господин Леденцов и просит его принять.

Еще с порога Амалия увидела, что с молодым сыщиком было что-то не так. Прежде он казался пепельным, а теперь потемнел лицом еще больше, и вид у него был уже не печальный, а попросту мрачный. «Что-то случилось, — с беспокойством подумала Амалия. — Но что?»

— Черемушкин умер, — сказал Гиацинт.

И даже не сел, а как-то бессильно осел на предложенный ему стул. Руки его повисли, углы рта опустились.

— Как это случилось? — только и могла вымолвить Амалия. — Он покончил с собой?

Леденцов помотал головой.

— Нет, Амалия Константиновна. Его убили.

— Кто? Как? — Амалия распрямилась, не веря своим ушам. — Боже мой! Неужели Александр Богданович не догадался посадить его в одиночную камеру?

— Нет, господин Зимородков все сделал правильно, — отозвался Леденцов, неприязненно выделив голосом «господин Зимородков». — Его убил Гаврила Сидорович.

— Кто?

— Да наш же полицейский, Амалия Константиновна... Старый, честный служака... которому Александр Богданович поручил охранять задержанного.

Амалия молчала.

— Он, то есть Гаврила Сидорович, знает разные приемы, с помощью которых можно придать видимость, что человек умер как бы сам... Но врач, которого позвал Александр Богданович, тоже все эти приемы знает... Да мы все понимали, что Черемушкин не мог умереть своей смертью... Он же обещал признание сделать...

— Обещал? О господи...

— Гаврилу Сидоровича сразу же задержали, — мрачно сказал Леденцов. Щека его слегка подергивалась в нервном тике. — И знаете, он даже ничего не отрицал... то есть молчал и не отпирался, что убил задержанного. Мне пришлось вести его в камеру... я не утерпел и спросил, зачем он это сделал, разве он не понимал... А он только посмотрел на меня и с некоторым презрением сказал: «Милый человек, мне семью кормить надо, а на казенной службе не разживешься...» — Гиацинт закусил губу. — А я думал, что знал его... хорошо к нему относился... Да мы все хорошо к нему относились...

У Амалии заныл правый висок, и она стала нервно растирать его своей тонкой рукой.

— Это тот самый Гаврила Сидорович, который при обходе домов выяснил, где живет Черемушкин, и задержал его?

— Он самый, Амалия Константиновна.

— Значит, тогда он был образцовый полицейский, а всего через несколько часов стал убийцей... Надо выяснить, кто заплатил ему, кто подбил его убить Черемушкина.

— Александр Богданович уже занимается этим, Амалия Константиновна. Он... он... Может быть, негоже так говорить о начальстве, но он в бешенстве... Если бы он вчера не стал ждать и сразу же дожал Черемушкина...

— Теперь нет смысла рассуждать об этом, — сказала Амалия несчастным голосом.

Но Леденцов все-таки высказал то, что было у него на уме с того самого мгновения, когда он узнал о смерти ключевого свидетеля:

— Мне почему-то кажется, что, если бы на месте господина Зимородкова были вы, вы бы не совершили такой ошибки... Ведь даже ваш дядя сумел разговорить работников ресторана там, где я не справился...

Ах вот, значит, почему он пришел...

— Гиацинт Христофорович, — не удержалась Амалия, — скажите, а почему вы вообще пошли в полицию? Мне кажется, что вы имели возможность выбрать и другой род деятельности...

Леденцов нахмурился, и Амалия поняла, что для молодого сыщика это была больная тема.

— Я пошел в полицию, чтобы преступления не оставались безнаказанными... Вот.

— Это имеет для вас значение? Вы когда-то сами столкнулись с...

— Да. Мой отец тиранил мою мать и довел ее до самоубийства. Она повесилась, и это я нашел ее тело.

— Что было потом? — спросила Амалия после паузы.

— Потом? Я рассказал на следствии все, что знал, и отец меня проклял. Тем не менее я добился того, что привлек к нему внимание, и его обследовал врач. Он установил, что мой отец уже давно психически болен. Если бы я раньше обратился в полицию и не молчал, возможно, мою мать удалось бы спасти. Я тоже сообщник преступления, Амалия Константиновна, — медленно проговорил Леденцов, — и это останется со мной на всю жизнь.

Амалии было уже неловко, что она вообще начала этот разговор. Есть такие драмы — и такие раны — которых лучше не касаться, пусть даже из самых лучших побуждений.

Поэтому она сказала:

— Нам надо отыскать человека, который убил Ольгу Верейскую и который, вероятно, выполняет в их шайке грязную работу. Полиции удалось хоть что-нибудь о нем выяснить?

— Никак нет, Амалия Константиновна. Домой к Черемушкину он не приходил.

— А дома у Черемушкина вы нашли хоть что-нибудь, что может навести на след его сообщников?

— В том-то и дело, что нет, Амалия Константиновна. Правда, деньги у него водились, но никаких вещей с прошлых преступлений или с ограбления в Спасском переулке мы не обнаружили.

— Полиция ищет перекупщиков? Без них ведь не обошлось.

— Да, Амалия Константиновна, господин Зимородков уже дал соответствующие указания.

— Актеры — люди общительные. Удалось выяснить, с кем дружил Черемушкин? Может быть, его друзья смогут что-то прояснить?

— Он вроде бы общался с некоторыми из соседей, но все они — люди вполне приличные и ничего не знали о его настоящей профессии.

— Как он объяснял тот факт, что нигде не работает, бывший актер, а деньги у него водятся?

— Говорил, что у него в Тамбове набожная тетка, которая высылает ему деньги и написала в его пользу завещание с условием, чтобы он не подходил к театру.

— Ах, ну да, — кивнула Амалия. — Богатая тетка в Тамбове... прямо как в современных пьесах... Какую ни раскрой, обязательно на нее наткнешься. — Она внимательно посмотрела на Леденцова. — Значит, ничего?

— Ничего, — с убитым видом подтвердил сыщик.

— Вы поставили человека возле дома, где он жил? На всякий случай.

— Разумеется, Амалия Константиновна. Только вот мало надежды, что птичка запорхнет в клетку.

Слишком быстро они узнали, что мы его схватили, и приняли меры.

— С кем Черемушкин чаще всего общался?

— С Порфирием Замятиным, он живет с ним рядом, на том же этаже.

— Что за человек этот Замятин?

— 27 лет, из мещан Орловской губернии. Приехал в Петербург, служил по ведомству путей сообщения, но, как он выразился, музы взяли свое.

— Музы?

— Он ушел из ведомства два года назад, сейчас пишет фельетоны для газет, статьи и также переводит с французского. Они с Черемушкиным подружились на почве любви к бегам. Иногда Замятин занимал у него деньги.

Амалия задумалась.

— Само собой, мы проверили Замятина, но ничего подозрительного за ним не обнаружилось, — поторопился объяснить Гиацинт, который по-своему истолковал молчание своей собеседницы.

Однако, как оказалось, баронесса Корф думала вовсе не о том.

— У Черемушкина была любовница? — спросила Амалия.

Тут, признаться, Леденцов покраснел и заерзал на месте.

— Судя по всему, постоянной подруги у него не было... Он, гм, предпочитал пользоваться услугами профессионалок.

— Вы их нашли?

— Сейчас как раз их допрашивают, хотя я сомневаюсь, чтобы они могли рассказать что-то, что представляет ценность для нас.

— Где Замятин обычно бывает в это время?

— Дома сидит, сочиняет или переводит. У него семья и трое детей. Живут они небогато, даже прислугу не держат. Жена сама делает всю работу по дому.

— А что это за дом вообще, Гиацинт Христофорович?

— Средней руки, так сказать. Большой дом, довольно много народу — мещане, одна обедневшая купчиха, разночинцы.

— Швейцара внизу, конечно, нет?

— Нет, к сожалению, а то мы бы знали о Черемушкине куда больше. Дворник — пьяница, тоже ничего нам сообщить не смог. Жил Черемушкин спокойно, никаких скандалов с ним не связано.

— Ну, была не была, — не понять к чему заключила Амалия и поднялась с места. — Подождите меня здесь, я сейчас вернусь.

И она удалилась.

По правде говоря, Гиацинт Христофорович считал себя человеком бывалым, которого не так-то легко удивить, но, когда баронесса Корф примерно через полчаса вновь вошла в гостиную, он прикипел к месту, застыл, заиндевел, закоченел и вообще испытал крайнюю стадию изумления.

Перед ним стояла разбитная бабенка неопределенного возраста с чрезвычайно нахальной, густо накрашенной физиономией. Из-под дешевой шляпки выбивались рыжие не то кудри, не то космы, дерзко торчащие в разные стороны, а улыбка была настолько вызывающей, что, если поблизости случились бы няни с детьми, няни, несомненно, поспешили бы увести своих питомцев, да еще пере-крестились бы — на всякий случай.

— Ужасно? — весело спросила Амалия.

— Госпожа баронесса, — пролепетал Леденцов, — это... это... Это не знаю что такое!

— Ну-с, если господин Черемушкин питал склон-ность к девицам легкого поведения, то не могу же я изображать ученую курсистку, — хмыкнула Амалия, взяв под мышку бутылку дешевого вина. — В доме на Николаевской улице вас видели?

— А... э... да, Амалия Константиновна. Они на-верняка запомнили, что я из полиции.

— Тогда сделаем вот что: вы пойдете вперед и ве-лите полицейскому, который дежурит на месте, ни в коем случае не обращать на меня внимания и сде-лать то, что я скажу, а остальным я займусь сама.

— Что вы надумали, Амалия Константиновна? — только и мог выговорить пораженный Леденцов.

— Ничего особенного, только у меня одна просьба: когда мы будем на улице, идите как-нибудь неза-метно за мной и следите, чтобы городовой меня не задержал. Иначе барона Корфа хватит удар, — до-бавила Амалия, и глаза ее сверкнули. — Так-с... — продолжала она, оглядывая себя. — Сапоги со стоп-танными каблуками, которые вдобавок кривые... а, черт, эти перчатки нельзя, они дорогие... Дета-ли — это все! Значит, берем другие перчатки... дыра на пальце — очень хорошо... дрянное вино — пре-красно... воротник из зверя, которого не всякий зо-олог сможет опознать... Нетрезвая мамзель пришла проведать своего кавалера, как вам, Гиацинт Хри-стофорович?

— Великолепно, Амалия Константиновна!

— Не Амалия Константиновна, а Ленка Звездочка, бывшая актриса, ныне работница горизонтального труда... И вовсе не великолепно, милостивый государь! Какая же я пьяная, когда от меня вином не разит за версту? Нет, это неправильно... Придется прополоскать рот каким-нибудь дешевым пойлом и налить на себя немножко, чтобы уж наверняка...

Гиацинт представил себе, какой эффект произведет появление незнакомой мамзели в таком виде, если она выйдет через парадный вход особняка, расположенного в самом аристократическом районе города, и затрепетал от восторга. Но, разумеется, Амалия не стала рисковать, и они покинули дом через черный ход.

Первый же городовой, покосившись на рыжую оторву в потрепанном пальтишке и с бутылкой под мышкой, неодобрительно покрутил головой и стал следить, не вздумает ли она приставать к прохожим. Леденцов пристроился в фарватере Ленки Звездочки и, в приливе вдохновения ощущая себя кем-то вроде влиятельного сутенера, следил, чтобы его подопечную никто не обидел. Трижды ему приходилось отгонять от нее собак, которые при одном виде столь предосудительного существа заливались яростным лаем, не менее пяти раз — призывать к порядку прилично одетых господ, которые игриво интересовались, сколько она берет, и еще дважды — предъявлять документ, чтобы городовые ее не арестовали.

На углу Николаевской улицы драный бродячий кот, едва завидев рыжую Ленку, с душераздирающим мяуканьем взлетел на дерево и сидел на нем, пока она не прошла. Судя по всему, представление имело успех, и даже больший, чем рассчитывала его устроительница, хотя Гиацинт по-прежнему не мог взять в толк, каким образом это поможет им выйти на след сообщников Черемушкина.

Пошатываясь, Ленка Звездочка вошла в дом, спотыкаясь чуть ли не на каждой ступеньке, поднялась на четвертый этаж и подошла к двери, которую ей загодя описал сыщик:

— Дверь не напротив лестницы, а первая налево... На ней широкая царапина, похожая на букву «глаголь».

— Коко! — завизжала Ленка, что есть силы дубася в дверь свободной рукой. — Котик, я соскучилась! Открой...

Но Коко по понятной причине открыть не мог, зато за дверью напротив лестницы (где жил с семьей Замятин) произошло некоторое движение.

— Коко! — Ленка возвысила голос и поправила рыжие пряди, которые лезли в глаза. — Ты что там, не один? Открывай! Я выпивку принесла! Коко, это нечестно! Мы же уговорились!

Дверь напротив лестницы приотворилась, и наружу выглянул молодой мужчина с птичьим носом, близко посаженными серыми глазами и светлым клоком волос, свисающим на правую бровь.

— Вы с ума сошли? — зашептал он, пугливо озираясь. — Николая вчера арестовали! Немедленно уходите, иначе и вас тоже...

— Как? Арестовали? За что? — изумилась Ленка, подходя к нему. — Вы что-то путаете! Мой Коко не мог... Он не такой!

Но тут снизу послышались тяжелые шаги полицейского, и Замятин, воровато оглянувшись, втолкнул Ленку в квартиру и быстро захлопнул дверь.

— Порфирий, кто там? — прозвенел из глубины квартиры женский голос.

— Ох, пожалею я об этом, сильно пожалею... — бубнил фельетонист, меряя Ленку недоверчивым взглядом. — Как будто мне неприятностей не хватает...

— А я тебя знаю! — громко объявила рыжая. — Видела с ним на бегах. Только не помню, как тебя зовут...

— Да тише ты! — прошипел Порфирий, махая на нее рукой.

Только что на этаж поднялся полицейский, дежуривший возле дома, в сопровождении верного Гиацинта.

— Она могла войти сюда, — упорствовал Леденцов в соответствии с полученными им от Амалии инструкциями. — Что, если она его сообщница?

— Да никто сюда не входил, — вяло возразил полицейский. — Смотрите, дверь заперта и опечатана, все как полагается... В этот дом иногда такие ходят... я-то насмотрелся...

— И все же надо проверить, — решительно молвил Гиацинт и, оглядевшись, двинулся к двери Замятина, в которую постучал, и весьма властно.

Ленка стояла ни жива ни мертва. Мрачно покосившись на нее, фельетонист указал ей на вход в гостиную, а сам подошел к двери.

— А, это вы! — с фальшивой улыбкой проговорил он, завидев Леденцова. — Ну что? Как проходит расследование?

— Не имею права разглашать подробности, господин Замятин, — отозвался сыщик. — Вы не видели здесь особу чрезвычайно характерного вида, рыжую, в пальто с собачьим воротником и с бутылкой вина под мышкой?

— Послушайте, — заворчал Порфирий, нервно запуская пальцы в волосы и ероша их, — вы понимаете, что мне надо работать? Я уже рассказал вам все, что знал. Я сижу дома, у меня жена, малолетние дети... Простите, но у меня нет времени следить, кто, куда и к кому ходит... Может быть, вам покажется это странным, но я занятой человек, не меньше, чем какой-нибудь министр! И если я сей же час не напишу фельетон, который устроит редактора, то моей семье завтра будет нечего есть...

— Ну, ну, Порфирий Викентьевич, — примирительно сказал Леденцов, — мы же тоже делаем дело, согласитесь... Я только хотел узнать... а впрочем, всего доброго, не смею вас больше задерживать...

— Премного благодарен! — буркнул фельетонист и захлопнул дверь.

Некоторое время он стоял, отирая со лба проступивший на нем пот. Из гостиной выглянули два испуганных женских лица: одно принадлежало рыжей Ленке, другое — некрасивой, но симпатичной женщине лет двадцати пяти, с умными глазами и русыми волосами, забранными в пучок. Бывают такие женщины, которых иллюстраторы любят рисовать возле домашнего очага с шитьем в руках, так вот, у Натальи Замятиной было именно такое лицо — уютное, домашнее и располагающее к себе.

— Я ничего не понимаю, — прохныкала Ленка. Она была готова расплакаться.

— Вляпался твой Коко, — мрачно сказал Замятин. — Влез в скверную историю, из нас полиция чуть всю душу не вытрясла, а все оттого, что общались по-соседски... — Он пожал плечами. — Не знаю, как теперь тебе отсюда выйти. Эти-то двое кружат возле дома, как коршуны...

Ленка шмыгнула носом.

— Можно я у вас пока посижу? Мне полиция ни к чему... Я вот и вино принесла... возьмите... Я тихонечко посижу, а потом прошмыгну, они меня не заметят... Я только хотела Коко приятное сделать. За что они его арестовали?

— Говорят, он генеральшу Громову ограбил, — отозвалась Замятина своим глубоким, мелодичным голосом. — Очень странно, я бы никогда не подумала, что он может быть замешан во что-то такое...

— Да они просто хотят на него свалить это убийство, — пожал плечами Порфирий. — У них же нет подозреваемых! Раньше хотели горничную обвинить, но у нее алиби... А начальство наверняка требует, чтобы хоть кого-нибудь посадили...

— Это ужасно, — сказала Ленка плачущим голосом. — Может быть, выпьем? — с надеждой предложила она.

— Я не пью, — сурово ответил фельетонист. — Мне работать надо...

Через минуту все трое сидели за большим столом в гостиной, совмещенной со столовой, и вполголоса беседовали, держа в руках стаканы с вином. В кроватке у стены посапывал младенец, на кресле лежало неоконченное шитье, на диване дремала кошка, и лампа под большим бахромчатым абажуром струила мягкий, уютный свет. (Из-за того, что окна выходили во двор-колодец, здесь даже днем было темно, как в погребе.)

— Все это так неожиданно случилось... — задумчиво заметила Наталья.

— Я, конечно, во время работы в газете насмотрелся на всяких жуликов, — поддержал ее муж. — Но о Коле я и подумать не мог... Он тебе ничего не говорил? — обратился он к Ленке.

— Он всегда был щедрый, — чисто по-женски ответила та. — Я как-то спросила, откуда у него средства. Он мне рассказал о какой-то своей тетке...

— Из Тамбова, — кивнул Замятин. — Нет, я тебе вот что скажу: он не может быть убийцей или вором. Кто угодно, только не он... Правда, он мне иногда говорил, что ради денег готов на все... но я думал, что это из какой-то его роли, и всерьез не принимал... Еще он говорил, что бросил театр по настоянию тетки, а потом, когда мы выпили, проболтался, что на самом деле там случилась какая-то скверная история, кто-то из зрителей побил его... и он чуть не умер, долго хворал, и с тех пор у него появился страх сцены... Он больше не мог играть, но декламировал замечательно... Шекспира очень любил, что бы о нем ни говорил граф Толстой...

— Порфирий, а я вот что думаю, — вмешалась его жена. — Может быть, тут что-то политическое, а про Громову они пустили слух для отвода глаз? Чтобы побольше у нас выпытать...

— Политическое? — встрепенулся фельетонист. — Ну... ну, не знаю... Он как-то политикой не интересовался. Вообще о ней не упоминал...

— Чтобы не привлекать к себе внимания, — с готовностью подсказала жена. — А что? Очень может быть. Тогда это объясняет, почему столько полиции...

Ленка всхлипнула.

— Ну, ну, что такое? — встревожился Замятин. — Сейчас мы еще нальем...

— Он мне письмо оставил, — сквозь слезы отозвалась та. — Велел его отнести, если с ним что-то случится... если его схватят... И сказал, кому отнести и куда! А я забыла, кому его отдать надо... Ду-у-у-ура! — зарыдала она, распустив губы.

Замятины обменялись встревоженными взглядами.

— Я тебе говорю, это политика, — шепнула Наталья.

— На письме если адрес? — спросил фельетонист.

— Нет! — Ленка вытерла слезы, размазав тушь так, что на нее сделалось страшно смотреть. — Запечатанный конверт... Я думала, он шутит... разыграть меня решил...

— Тут что-то серьезное, — объявила Наталья. — Вот что: давай лучше вспоминать, кому он просил отдать письмо. Просто так он ведь не мог этого сделать...

— Да не помню я! — в отчаянии вскрикнула Ленка. — Я ж говорю, я думала, что он шутит... интересничает... Сказал: отдашь, мол, Ивану... или не Ивану? Дырявая моя голова... ничего не помню... Помню только, что бывший офицер... и где ж его теперь искать? Коко, наверное, думает, что я вспомню... все сделаю... А я... я...

И она зашлась в плаче.

— Я не видел рядом с ним никаких офицеров, — сказал Замятин, хмуря свои белесые брови. — То есть мы общались, на бегах бывали, я у него деньги одалживал... Но вообще, вот я сейчас вспоминаю... Он даже о семье своей не упоминал... Скрытничал... и о тебе тоже не говорил...

— Я видела его однажды, — внезапно объявила Наталья. — С офицером.

— Наташа, ты ничего не путаешь? Когда это было?

— Да неделю назад... или две... Я у лавочника Аблесимова покупки делала... у него сахар дешевле... Выхожу — а на другой стороне улицы Николай Петрович стоит, и с ним господин в штатском, но по выправке видно, из военных... Они поговорили и разошлись. А мне, знаешь, любопытно стало — офицеры, даже бывшие, не охотники с актерами общаться... И тут я вижу, как тот господин входит в фехтовальный зал. На Разъезжей есть фехтовальный зал, — пояснила Наталья, — его держит француз Лежандр. Может, вам стоит там справки навести? Высокий такой господин... лет тридцати, темноволосый, прекрасно одет... Еще у него тросточка была с ручкой в виде головы попугая. Надеюсь, это вам поможет...

ГЛАВА 27

ТУШЕ

Гиацинт видел, как Амалия вышла из дома и двинулась по улице. Кот, который успел спуститься с дерева, при приближении Ленки Звездочки вновь зафырчал и метнулся вверх по стволу, но внезапно остановился и недоуменно распушил усы. Впрочем, не только его одного удивила бы внезапная перемена в рыжей мамзели, которая теперь уверенно шла по прямой, не шатаясь и не сбиваясь с шага.

Потом Амалия остановилась, и Леденцов нагнал ее.

— Что будем делать теперь, Амалия Константиновна?

Молодая женщина взглянула на него с озорным смешком в глазах.

— Русский человек, — объявила она, — терпеть не может власть.

Гиацинт, никак не ожидавший такого продолжения, открыл рот.

— Кто-то из историков — кажется, Ключевский, — утверждает, что это пошло с монгольского нашествия, жестокость которого общеизвестна, и что после освобождения от ига новая власть все равно предпочитала использовать приемы старой, — продолжала Амалия. — Так или иначе результат налицо: любая власть для нашего соотечественника прежде всего нечто, что стремится притеснить его и ущемить его свободу, даже когда власти в действительности нет до него никакого дела. Для нас власть — враг по определению, будь то правительство или, допустим, власть полицейская. А другая характерная черта русского человека — что он склонен к состраданию, причем обычно сострадает вовсе не тем, кому следует.

— Амалия Константиновна...

— Много вы знаете русских романов, где говорится о больных детях, о покинутых стариках, о калеках? Зато пачками выходят книги, в которых повествуется о нелегкой судьбе проституток или о преступниках, которым читатель непременно должен сочувствовать, хотя из их действий неминуемо следует, что они мерзавцы и если и получили по заслугам, то мало. С этой точки зрения господин Достоевский, несомненно, самый русский писатель... Стендаль, к примеру, отрубил своему Жюльену Сорелю голову и не поморщился, хотя тот даже не убил, а лишь покушался на убийство. У нас мсье Раскольников мало того что остается в живых — читатель еще обязан сочувствовать тому, что он попался и отбывает наказание, хотя по-хорошему его стоило бы казнить, и дело с концом...

Гиацинт внимательно посмотрел на Амалию.

— Вы рассчитывали на то, что Замятины будут откровеннее, если их станет расспрашивать не полицейский, а подружка преступника и к тому же — особа легкого поведения?

— Я никого не расспрашивала, милостивый государь, — усмехнулась Амалия. — Я порыдала, изливая душу, мы выпили вина, и я узнала все, что нам нужно... О, щучья холера!

К ним только что подъехал экипаж барона Корфа. Амалия надвинула шляпку пониже на брови и повисла на локте Гиацинта.

— Господин Леденцов! Как продвигается... — Тут Александр увидел рыжую потаскушку, нагло скалившую зубы, и переменился в лице. — Quelle horreur![1]

— Милостивый государь, — хихикнула Ленка, жеманясь, — мы таких слов не знаем, а вам я вот что скажу: каждый зарабатывает на жизнь по-своему... Хи-хи!

---

[1] Какой ужас! (*фр.*)

— Это свидетельница, — заторопился объяснять Леденцов, чувствуя себя так, словно его действительно застукали посреди улицы непонятно с кем.

— Очень на это надеюсь, — проворчал сквозь зубы барон Корф. — Лично я должен вас предупредить, что если вы втянете мою жену во что-нибудь эдакое... — Он оглянулся на рыжую оторву, скривился и захлопнул дверцу экипажа. — Трогай!

Когда карета ее мужа исчезла в потоке экипажей, Амалия отпустила руку Гиацинта, не выдержала и расхохоталась.

— Собственно говоря, нам с вами нужно совсем в другую сторону, на Разъезжую... Если верить источнику, человек, убивший Ольгу Верейскую, посещает фехтовальный зал Лежандра. Но в таком виде я идти туда не могу, так что возьмем извозчика.

Мимо них проехали два пустых экипажа, и только на третий раз Гиацинту удалось сговориться с мрачным извозчиком, явно страдающим похмельем. (Позже тот долго вспоминал, как к нему в карету сели господин с рыжей наглой девицей, а вышли тот же господин, но с белокурой дамой, хоть и одетой очень скромно, после чего бедняга извозчик решил, что пора в самом деле бросить пить, а то мало ли что привидится в другой раз...)

— Кто будет вести допрос — вы или я? — спросил Гиацинт, когда они с Амалией, вернувшей себе приличный вид, шли к фехтовальному залу.

— Ну зачем же так официально — допрос? — отозвалась Амалия. — Мы просто ищем господина, который вчера в магазине по рассеянности забрал ваши покупки, а у нас оказались его покупки... вот и все!

Восхищенный Леденцов решил, что в самом деле не мешало бы поучиться у баронессы Корф более тонким методам, и приготовился внимать и наблюдать. Если бы в это мгновение Амалия попросила его броситься в жерло вулкана, он бы даже не стал колебаться.

Они вошли в приземистое, ничем не примечательное здание и у швейцара сразу же узнали все, что их интересовало.

— Господин с военной выправкой и тросточкой с попугаем? Как же-с, сударыня, знаем-с. Они-с капитан в отставке, а зовут их Алексей Михалыч Печенкин. Вам повезло — они сейчас тренируются в главном зале.

Амалия и Гиацинт обменялись быстрым взглядом.

— Я думаю, надо вернуть ему покупки, — заметила Амалия. — А то как-то неловко получилось...

Они сняли верхнюю одежду и, оставив ее в гардеробе, вскоре оказались в большом, двусветном зале, в котором в этот час тренировалось с десяток человек. То и дело слышался лязг клинков и возгласы: «Туше!», «Защищайтесь!».

— Мы ищем капитана Печенкина, — сказала Амалия служителю.

— Вот он, с господином Лежандром, — отозвался служитель, указывая на высокого господина с военной выправкой, который только что закончил бой на рапирах с хозяином и раскланивался с ним самым изысканным образом.

(Впоследствии, кстати, выяснилось, что Лежандр никакой не Лежандр и даже не француз, а венгр по фамилии Кочиш, но так как французские фехтовальщики считались лучшими, а сам он действительно фехтовал отменно, то для процветания дела он и прикинулся французом.)

— Гиацинт Христофорович, что вы делаете? — прошептала Амалия, видя, как сыщик сунул руку в карман.

— Амалия Константиновна, у меня револьвер, а с этим господином нельзя быть ни в чем уверенным...

— Уберите руку, немедленно! Вы нас выдадите!

И в самом деле, капитан Печенкин повернул голову (никакой бороды, как угадал Зимородков, он не носил, а лишь небольшие усы щеточкой) и увидел возле дверей незнакомую даму и рядом с ней — бледного, напряженного Леденцова.

Оскалившись, Печенкин стиснул рапиру, снял с ее острия защитный колпачок и стал медленно отступать к другим дверям, которые располагались как раз за его спиной. Ах, не прост был капитан, вовсе не так прост, раз с первого же взгляда понял, что странная парочка явилась по его капитанскую душу...

— Скорее! За ним!

Уж близок, близок миг победы... близок, говорю я, тот миг, когда убийца будет схвачен и тайна неуловимой банды, совершившей столько дерзких ограблений и убийств, будет раскрыта... Но не лыком шит был посетитель несчастной Оленьки Верейской, и не принадлежал он к тем людям, которые, едва их припрут к стене, тотчас же спешат признать свое поражение. Нет, капитан явно был настроен сражаться до конца...

Амалия, которой мешало платье, отстала от Леденцова, который выскочил следом за Печенкиным в двойные двери и побежал по коридору. На бегу сыщик достал револьвер, но, возясь с ним, потерял несколько секунд, и капитан тем временем успел скрыться.

Отдышавшись, Гиацинт двинулся дальше, на ходу заглядывая во все двери, но за ними никого не было. Впереди оставался еще один зал, также двусветный, но поменьше, из которого служитель выносил охапку полотенец.

— С дороги! Полиция!

Служитель шарахнулся к стене, а Гиацинт прошел мимо него и со всеми предосторожностями заглянул в зал. Внутри никого не было. Потоптавшись на месте, Леденцов вошел и убедился, что зал действительно пуст. Капитан Печенкин растворился, испарился, исчез.

Тут ангел-хранитель сыщика Леденцова, должно быть, догадался дернуть его за пепельную прядь волос, чтобы он повернул голову. Вовремя, одним словом, успел оглянуться Гиацинт Христофорович, иначе жизнь его прервалась бы в то же самое мгновение. Ибо за спиной его с рапирой наготове стоял капитан Печенкин, чье лицо горело бешенством и звериным азартом. Он спрятался за выступом стены, который в полумраке Леденцов поначалу не заметил, и ждал, терпеливо ждал удобного момента.

Гиацинт с воплем отскочил в сторону и выстрелил, но пуля ушла вбок, а в следующее мгновение капитан ловким приемом выбил из рук Леденцова револьвер. Тот покатился по полу, крутанулся пару раз и замер, и был он в это мгновение не более полезен, чем какая-нибудь царь-пушка, которая вообще никогда не стреляла.

— Гиацинт, бегите! Он убьет вас!

В первое мгновение он даже не узнал голос Амалии — настолько пронзительным был ее крик. Вывернувшись, Гиацинт почти выскочил из угла, в который его загнал капитан, но тот замахнулся рапирой, и плечо Леденцова ожгла боль. Он метнулся в сторону и получил еще один удар, в бок, но тут Амалия схватила стул и швырнула его в капитана. Печенкин пошатнулся.

— Ах вот ты как, дрянь!

Он нанес Леденцову еще один удар, после которого сыщик повалился на пол, и быстрым шагом двинулся к Амалии, явно намереваясь убить ее, как до того — Ольгу Верейскую. Но тут между ними вклинился стройный белокурый господин во флигель-адъютантском мундире. Содрав с руки перчатку, он швырнул ее Печенкину в лицо.

— Защищайтесь, сударь!

Александр Корф схватил со стола одну из рапир и сорвал с нее защитный колпачок.

— Амалия, уходи! Уходи, говорят тебе!

Его последние слова перекрыл лязг оружия.

Приподнявшись на полу, Гиацинт обнаружил, что перед глазами у него все плывет, но вот зашуршало женское платье, кто-то подхватил его голову, и он понял, что Амалия рядом. В зале метались, ожесточенно рубясь, две тени, но он никак не мог понять, кто был вторым.

— Боже мой, вы ранены... — простонала Амалия. — Это моя ошибка. Надо было вызвать полицию, а не идти сюда самим...

Когда люди, извещенные испуганным служителем, вбежали в малый зал для фехтования, они успели только увидеть, как капитан Печенкин провел чрезвычайно эффектный и коварный прием, в результате которого рапира Александра переломилась в двадцати сантиметрах от эфеса. В следующее мгновение, рискуя жизнью, барон поднырнул под рапиру противника и со всего маху всадил обломок ему в сердце — как скажет впоследствии доктор, в точности туда же, куда капитан вонзил нож Ольге Верейской.

ГЛАВА 28

ПОИСКИ ГЛАВАРЯ

Час спустя Амалия в состоянии, близком к прострации, сидела в маленькой угловой комнате Лежандрова клуба. Раненого Гиацинта увезли в больницу, тело капитана накрыли куском полотна, и Александр Зимородков только что закончил допрашивать барона Корфа, который, впрочем, и не думал отрицать, что убил Алексея Михайловича Печенкина со вполне обдуманным намерением.

— Лучше бы вы его ранили, барон, — не удержался Александр Богданович, качая головой. — Так мы бы успели его расспросить, а теперь...

— Думаю, он бы все равно ничего вам не сказал, — холодно ответил Александр. — И я не жалею, что убил его, — он угрожал Амалии.

Он подписал протокол и удалился в угловую комнату, высоко неся голову. Амалия бросила на него вялый взгляд, когда он открыл дверь, но ничего не сказала. Александр сел напротив нее. Так они и сидели — молча, не говоря ни слова.

— Я все-таки не понимаю... — начала Амалия. — Это чудо какое-то, что вы оказались здесь.

— Просто я понял, что вы что-то затеваете, — коротко ответил Александр. — И когда в следующий раз вы соберетесь меня обмануть, можете надеть какой угодно парик, но я все равно узнаю вас — по манере поворачивать голову.

— А-а! — протянула Амалия, и ее глаза заблестели. — Так horreur — это было про меня?

— Разумеется, а что еще я мог сказать?

— Вы еще сделали такую выразительную гримасу...

Они поглядели друг на друга и засмеялись.

— Каюсь, у меня в тот миг было большое желание свернуть вашему знакомому шею, но, поразмыслив, я понял, что ни у кого на свете не хватило бы духу подбить вас на нечто подобное. Значит, это была ваша затея, и я решил не выпускать вас из виду.

— Я очень рада, что вы так решили, — сказала Амалия серьезно. — Правда.

— Доктор обещал, что с вашим Гортензием Тюльпановичем все будет хорошо, раны хоть и серьезные, но жизни не угрожают. — Александр поднялся с места. — Поедемте домой, Амалия. Я отвезу вас.

Дома, переодевшись, Амалия ушла в музыкальную комнату и села напротив орхидей. Ей хотелось собраться с мыслями. Больше всего, по правде говоря, она опасалась, что своими действиями только повредила расследованию и все испортила, но вечерний звонок Зимородкова развеял ее опасения.

— Амалия Константиновна, мы арестовали одного из перекупщиков, связанного с бандой.

— Поздравляю вас, Александр Богданович... Как вы его нашли?

— Благодаря бумагам Печенкина. Он был крайне осторожен, но... кое-какие следы все же оставил. Следствие продолжается, госпожа баронесса.

— А главарь? — спросила Амалия после паузы.

Зимородков долго молчал.

— Вы не считаете, что им мог быть капитан Печенкин?

— Мне сложно об этом судить. Характер человека отражается в его действиях. Тот, кто задумывал эти преступления, должен быть умен, хладнокровен, циничен и жесток. Человеческая жизнь для него — ничто. Если капитан отвечает этому портрету, то да, он мог быть главарем.

Зимородков вздохнул.

— Во время ограблений женщины убивались с особенной жестокостью, — неожиданно сказал он. — Вспомните также, как была убита Ольга Верейская... Нам стало известно, что капитана несколько лет назад бросила жена... убежала с другим. Судя по всему, после этого он возненавидел всех женщин...

— Допустим, но это не объясняет, почему он выбрал в Петербурге, Самаре, Саратове и Москве именно тех, кто стал его жертвами — тем более что в семье Тоновых, насколько я помню, вообще была только одна женщина, а все прочие — мужчины. Тут должна быть какая-то связь... что-то, что объединяет этих людей. Знаете что, Александр Богданович? Пришлите-ка мне пока все материалы, я их изучу.

— Хорошо, хотя я не думаю, что нам это поможет. Понимаете, как только я понял, что ограбление Громовой — одно из многих, я первым делом стал искать связь между преступлениями, но не нашел. Есть только внешние обстоятельства — все жертвы были богаты и свои богатства хранили дома, как они полагали, в надежном месте. Еще можно говорить о некой периодичности — преступления следовали друг за другом через определенные промежутки времени, от четырех до восьми месяцев. Похоже, что банда каждый раз тщательно готовилась к следующему делу...

— Какая-то странная банда, вы не находите? — неожиданно спросила Амалия. — Один — бывший актер, другой — капитан в отставке... Кстати, его возил какой-то кучер. Вы нашли этого человека?

— Нет, Амалия Константиновна. Судя по всему, он исчез.

Однако вскоре выяснилось, что кучер Печенкина не успел далеко убежать — через несколько дней его нашли убитым на окраине Петербурга. Также был найден убитым еще один перекупщик, который помогал банде сбывать награбленное добро.

Первый перекупщик, некий Михельсон, уже седой старик, сначала склонялся к тому, чтобы сотрудничать со следствием, но тут защищать его интересы взялся чрезвычайно цепкий адвокат Курагин, и Михельсон резко изменил линию поведения. Теперь на допросах он жаловался на старость, на плохую память и уверял, что ничего не видит, не помнит и не знает.

Леденцов, выписавшись из больницы, первым делом отправился узнавать, что нового появилось в деле, и пришел к Амалии мрачный.

— Кто-то оказывает на следствие давление, Амалия Константиновна... Все наши его чувствуют.

И Александру Богдановичу упорно пытаются внушить, что именно убитый Печенкин был главарем.

— Нет, — промолвила Амалия, качая головой, — это не Печенкин. Незаконная дочь Михельсона недавно переехала в богатый дом и ходит в шелковых платьях... Ее отец ничего не скажет следствию, иначе ее убьют, но и так ясно, что капитан не был главарем. Мертвец никак не мог оплатить переезд...

Гиацинт встрепенулся.

— Амалия Константиновна, вы гений! Надо узнать, кто заплатил за новое жилье для дочери!

— Что-то мне подсказывает, что это было сделано через контору Максима Васильевича Курагина, — усмехнулась Амалия. — Сам он, разумеется, знает, в чем дело, но не скажет, ссылаясь на адвокатскую тайну. Разумеется, у нас есть несколько способов выяснить правду, хотя все они, скажем так, не слишком законные.

— В интересах справедливости, — не колеблясь, объявил Гиацинт, — я готов рискнуть.

— Даже если придется подкупать слуг?

— Но, — в некотором замешательстве пробормотал Леденцов, — если надо... то тогда... конечно...

— По-моему, вы были уверены, что я изобрету какой-нибудь другой, более элегантный способ, когда Курагин будет рад сам мне все выложить, — улыбнулась Амалия. — У вас нет, случаем, знакомых в Саратовской губернии? Таких, которые были бы в курсе всех местных дел?

— У меня там живет троюродная тетка, — подумав, ответил Гиацинт. — Ужасная сплетница, по правде говоря.

— Вам придется ее навестить, — сказала Амалия. — И кое-что узнать для меня. Ответ отправите телеграфом.

— Но...

— Никаких «но», Гиацинт Христофорович. Мы действуем против очень предусмотрительного и опасного врага, поэтому либо вы со мной, либо, если хотите, возвращайтесь к Александру Богдановичу и попробуйте законным путем установить личность главаря. Только я вам сразу же говорю: ничего у вас не выйдет.

— Когда именно мне надо к ней ехать? — мрачно спросил Леденцов.

— Чем быстрее, тем лучше.

И Амалия объяснила Гиацинту, что именно ему надо было узнать.

Через несколько дней, когда Амалия для чего-то перечитывала старые газеты, ей принесли телеграмму, текст которой гласил: «Ничего общего шапочное знакомство один раз проиграл главе семьи партию в теннис».

— Вот и все, — сказала Амалия вслух. — Да, пожалуй, все.

ГЛАВА 29

ЛИЦОМ К ЛИЦУ

Максим Васильевич Курагин был красавец мужчина тридцати двух лет от роду. Он принадлежал к хорошему, хоть и обедневшему роду и в свое время немало удивил светский Петербург, женившись по любви на небогатой сироте. Среди коллег он слыл умным, цепким, неразборчивым в средствах, излишне щепетильным, глуповатым фатом, красноречивым оратором и умельцем излагать одни только общие места. Истина, возможно, находилась где-то посередине, хотя в принципе между человеком щепетильным и неразборчивым в средствах лежит целая пропасть.

Надо сказать, что Максим Васильевич не любил сюрпризов и старался их избегать, поэтому, когда ему принесли письмо: «Возникли осложнения, надо срочно посоветоваться по поводу Михельсона», адвокат нахмурился.

— Эмма, кто это принес? — спросил он у служанки.

Эмма, немка по происхождению, когда-то была нянькой его жены, позже сделалась ее горничной, а потом поселилась в доме Курагина. О посыльном Эмма могла сказать немного — по ее словам, записку принес мальчик, который ушел, не дожидаясь ответа.

— Хорошо, — сказал Курагин. — Можешь идти.

Он посмотрел на часы и, хотя собирался остаться дома, стал одеваться. Судя по всему, клиент, по просьбе которого адвокат занимался защитой Михельсона, представлял первостепенную важность, и Курагин не хотел заставлять его ждать.

Выйдя из дома, адвокат взял извозчика и отправился на ипподром. Он попал как раз в перерыв между двумя заездами и, войдя в одну из лож, поздоровался с молодым, но сильно обрюзгшим человеком с капризно оттопыренной нижней губой. Адвокат сел, и мужчины о чем-то заговорили.

«Интересно, — подумал Александр Зимородков, который тоже (возможно, по совершенно случайному совпадению) оказался на ипподроме, — о чем это Курагин так живо беседует с племянником покойной Громовой? Очень, очень любопытно... Позвольте, — всполошился сыщик, — уж не этот ли племянник унаследовал после убийства все капиталы генеральши?»

Как видим, Амалия оказалась вовсе не единственной, кому было интересно узнать имя нанимателя изворотливого адвоката. Александр Богданович не выпускал Максима Васильевича из виду, и встреча Курагина с наследником убитой Громовой показалась Зимородкову чрезвычайно подозрительной.

После заезда адвокат отправился домой, и, если бы он находился в экипаже не один, по блуждавшей на его губах улыбке любой посторонний наблюдатель мог бы решить, что Курагин в этот день счастливо поставил и выиграл. Впрочем, в ясных синих глазах адвоката еще блуждали призраки былой тревоги, и он то и дело проводил по подбородку рукой.

Вернувшись к себе, Максим Васильевич узнал, что в его отсутствие заходила баронесса Корф, которой для чего-то понадобилась его консультация, но она почти сразу же ушла.

Нахмурившись, Курагин проследовал в свой кабинет и первым делом бросился к несгораемому шкафу, в котором хранил самые важные бумаги. Он подергал дверцу, но она, похоже, была заперта. Тем не менее адвокат не удовольствовался наружным осмотром, а отпер сейф и стал проверять, на месте ли бумаги.

— А она дорого обходится, не так ли? Я имею в виду дочь Михельсона.

И хотя Максим Васильевич был убежден, что самообладания ему не занимать, он все же вздрогнул, услышав этот голос.

Перед ним в темном английском костюме стояла баронесса Корф. Он никогда прежде не встречался с ней, лишь видел мельком и знал, что она существует.

Теперь они стояли лицом к лицу.

— Сударыня, признаться, я не знаю, как вы проникли в мой кабинет... Баронесса Корф, не так ли? Амалия Корф?

Она наклонила голову, и Курагин машинально отметил, что ему не нравится сумочка, которую она держала в руке. Судя по очертаниям, там могло быть что угодно — к примеру, пистолет.

— Вы придумали весьма эффектный трюк, чтобы вызнать имя моего нанимателя. Но...

— Оставьте, Максим Васильевич, — скучающим тоном проговорила Амалия. — Мне, как и вам, прекрасно известно, что никакого нанимателя нет и в помине. Главарь — это вы.

Курагин не исключал, что кто-нибудь когда-нибудь скажет ему именно эти слова, но то, что они исходили от хорошенькой — и, как он думал, пустоголовой женщины, — неприятно поразило его. Он сел, не выпуская бумаг из рук.

— И не надо коситься на нож для разрезания бумаг, — спокойно заметила Амалия. — У меня в сумочке револьвер, и я убью вас, прежде чем вы шевельнетесь.

— Сударыня...

— Ну да, ну да. Вы абсолютно ни в чем не виновный человек и законопослушный гражданин, а я обманом проникла в ваш дом и придумываю разные фантастические истории. Так с чего мы начнем? С того, как честолюбивый и, увы, бедный молодой человек понял, что адвокатской практикой заработать не так уж просто, на это уйдут годы, а он к тому же замыслил жениться? Вы познакомились с вашей будущей женой в Самаре и там же, как на грех, проиграли дело. Это было за несколько месяцев до убийства старухи Никитиной и ее слуг.

— Как интересно, — печально промолвил Курагин. — Вы рассказываете поистине захватывающий роман, госпожа баронесса... Только вот если бы вы взяли на себя труд ознакомиться с фактами, вы бы узнали, что меня уже не было в Самаре в момент убийства и ограбления.

— Разумеется, вас там не было — у вас всегда есть алиби, на все случаи. Вы же адвокат и понимаете, насколько это важно. Только вы не в суде присяжных, Максим Васильевич. Понимаете, я все знаю.

— Что именно вы знаете?

— Что госпожа Никитина была фантастически богата и так же фантастически прижимиста. Пока вы были в Самаре, вы перезнакомились со всем обществом, и вас, наверное, не раз посещала мысль: а зачем ей столько денег? Куда больше они пригодились бы вам... Но сами вы мараться не желали. Поэтому вы, пользуясь своими знакомствами на бегах, сколотили шайку, которая должна была претворить в жизнь ваш замысел. Неудачливый актер, готовый на все ради денег, отставной офицер, Михельсон, который раньше был замешан в разных темных делах — где еще может собраться такое смешанное общество? На бегах или за карточным столом. Но в карты они не играли, а вот бега посещали регулярно. Там вы их и нашли — вы ведь тоже постоянный посетитель ипподрома. Озлобленный Печенкин был готов не оставлять свидетелей, особенно если речь шла о женщинах. Черемушкин, вероятно, стоял на стреме. Кучер Печенкина помогал перевозить добро, а Михельсон и еще один перекупщик — сбывать его. Вы же изучали обстановку, собирали информацию и составляли план действий. И вас, наверное, озадачило, до чего легко все прошло. Поэтому через некоторое время вы не удержались от соблазна и свели счеты с вдовой ростовщика Булыхина — уже здесь, в Петербурге. Именно ее муж когда-то разорил вашу семью, пользуясь беспечностью вашего отца.

— Я ни с кем не сводил счетов, госпожа баронесса. Простите, но вы с кем-то меня путаете.

— А затем было убийство Мавриных в Саратове. Летом вы гостили в имении по соседству и пересеклись с этой семьей. Ее глава выиграл у вас партию в теннис... не знаю, что он вам сказал по этому поводу, может быть, хвастал сверх меры и задирал вас, не зная, кто вы на самом деле. Этот выигрыш решил его судьбу — вы отмстили, велев своим подручным уничтожить его вместе с семьей по уже отработанной схеме. И ведь не настолько богаты были эти несчастные, чтобы действовать столь жестоким образом...

— Понятия не имею, о ком вы говорите, сударыня. Сам я вообще плохо играю в теннис и, простите, если бы я убивал каждого, кому проигрываю...

— А потом произошло убийство Тоновых в Москве, казалось бы, никак с вами не связанное, потому что вы не были в Первопрестольной и не имели с ними никаких контактов. Но вы же посещаете бега, вы любите лошадей... а Тонов тоже занимался скачками, только вот лошадей он не любил. Он выставил жеребца по кличке Резвый, который проиграл Фортунату, на которого вы поставили и выиграли. А потом вы узнали, что Тонов за большие деньги выкупил Фортуната и прострелил ему ногу.

Глаза Курагина вспыхнули и тотчас же погасли.

— Тут, вероятно, я должен расчувствоваться и сознаться, что судьба Фортуната настолько меня тронула, что я решился на убийство, — насмешливо заметил он. — Видите ли, я никак не могу сознаться в том, чего не делал. Кроме того, если вы не знаете, в мире скачек творится столько несправедливого и жестокого...

— И, наконец, убийство Громовой, — перебила его Амалия. — Вы выбрали ее просто потому, что она была богата, а вдобавок вы знакомы с ее племянником, бывали у нее в доме и знали, что она где хранит. Чем-то она напоминала вашу первую жертву Никитину — взбалмошная прижимистая старуха. Вам опять были нужны деньги, потому что вы ничего не жалели для своей жены, к тому же искали счастья на бирже и проиграли больше, чем следует. Казалось бы, чего проще — убей и ограбь снова, но на этот раз все пошло наперекосяк. Старая знакомая Черемушкина, Ольга Верейская, увидела его возле особняка жертвы, и ей явно показалось странным то, как он был одет. Впоследствии, прочитав в газетах об убийстве, она могла вспомнить о подозрительной встрече и рассказать о ней полиции. Поэтому Ольге Николаевне пришлось умереть. Не знаю, как капитан убедил ее впустить его в дом, но он вполне мог сказать, что, к примеру, явился по поручению Николая, и начать рассказывать какую-нибудь правдоподобную историю. Зарезав несчастную, он на всякий случай осмотрел квартиру и обратил внимание на недавно написанное письмо. Возможно, в нем она и не говорила о встрече с Николаем, но капитан все равно прихватил его... И так как он узнал — из записки Чигринского, вероятно, — что тот вскоре придет, то сразу же решил сделать композитора козлом отпущения. Только вот Дмитрий Иванович оказался на редкость крепким орешком, и даже анонимное обвинение, посланное в газету, отдали ему, не придав письму никакого значения...

— Это все? — со скучающим видом спросил Курагин. — Простите, сударыня, но я собираюсь ужинать, и если вы верите, что я зальюсь слезами и стану каяться в том, чего не совершал...

— Разумеется, нет, — сказала Амалия, пытаясь уловить на этом красивом, равнодушном лице с усиками-стрелками хоть какое-то подобие волнения. — Я просто хотела, чтобы вы поняли: я все знаю. Вы вовремя избавились от своих сообщников и нашли средство воздействия на Михельсона, который никогда не допустит, чтобы его дочь пострадала. Но вы остаетесь на заметке, и если вы еще раз преступите закон... берегитесь, Максим Васильевич.

— Кажется, вы мне угрожаете? — Адвокат покачал головой. — Полно вам, госпожа баронесса.

У вас нет никаких доказательств... иначе здесь были бы не вы, а ваши знакомые из сыскной полиции.

— Максим!

Дверь приотворилась, на пороге показалась молодая темнокудрая женщина. Она излучала очарование, и, хотя превосходно сшитое платье скрадывало линии, было заметно, что дама находится по крайней мере на шестом месяце. Адвокат посмотрел на нее с нежностью.

— Дорогая, познакомься с баронессой Корф, которая оказала нам честь своим визитом... Госпожа баронесса только что рассказала мне об одном крайне трудном, но интересном деле. Сударыня, это Ольга Антоновна, моя супруга...

Он улыбался, его лицо потеплело. «Щучья холера, — подумала потрясенная Амалия, — похоже, она действительно его «дорогая...» Тот же самый человек, который так хладнокровно замышлял и осуществлял убийства... До чего же широкая личность этот месье Курагин! Покажи любому постороннему его с женой — всякий умилится и скажет, что это самая гармоничная пара на свете...»

С любезностью, граничившей с издевкой, адвокат предложил Амалии остаться на ужин, но она отказалась.

— Мне искренне жаль, что я не могу вам помочь, поверьте, — с тонкой иронией заключил Курагин. — Передавайте господину Чигринскому мои наилучшие пожелания. Я слышал, он сочиняет балет — в добрый час! Моя жена уже просила меня, чтобы я непременно взял билеты на премьеру...

И он улыбнулся так искренне, так сердечно, что Амалия какую-то долю мгновения была почти готова поверить, что он не лгал, а она заблуждалась. Не было ни сведения счетов со старыми врагами, ни партии в теннис, ни убитых свидетелей, ничего...

Увы, она проиграла, и все, что она могла — это бросить правду ему в лицо. У нее не было доказательств, и он это знал.

Впрочем, она еще могла рассказать обо всем Зимородкову, что она и собиралась сделать в ближайшее время.

ГЛАВА 30

ВТОРОЙ ВЫСТРЕЛ

— Амалия Константиновна, — серьезно промолвил Зимородков, — простите меня, но вы сделали это совершенно напрасно. Неужели не было никакого способа заставить его выдать себя?

— Боюсь, что нет. Благодаря своему положению адвоката он знал все о том, какие улики находятся у вас на руках, кого вы подозреваете и почему. Не обольщайтесь, господа: он переиграл нас.

— И тем не менее я считаю, что вам, Амалия Константиновна, не следовало фактически предупреждать Курагина. Теперь доказать его вину будет действительно невозможно.

— Вы тоже осуждаете меня, Гиацинт Христофорович? — спросила баронесса Корф.

Они сидели в одной из гостиных ее особняка. Было глухо слышно, как наверху кто-то музицирует — это Чигринский играл Нередину на зеленом рояле уже написанные куски для балета.

— Я думаю, что понимаю, зачем вы так поступили, — помедлив, признался печальный сыщик. —

Максим Васильевич слишком долго оставался безнаказанным.

Амалия кивнула.

— Вот именно, зато теперь, когда он точно знает, что вы его подозреваете, он поостережется вас провоцировать. Не исключено, что это поможет нам спасти чью-то жизнь, потому что именно безнаказанность подталкивает преступника совершать преступления снова и снова.

— И все же я считаю, что вы должны были прежде всего рассказать мне, — упрямо повторил Зимородков.

— Вот как? У вас есть на него что-нибудь? Серьезные доказательства, которые вы можете предъявить присяжным? Ну же, Александр Богданович!

— У меня ничего нет, — мрачно признался чиновник. — Мне поступил недвусмысленный приказ завершить следствие. А еще мне намекнули на то, что во Владивостоке тоже очень нужны толковые полицейские, и я могу туда отправиться, если не стану подчиняться.

Некоторое время все молчали, прислушиваясь к доносящейся сверху музыке.

— Не могу поверить, что он останется безнаказанным, — подавленно признался Гиацинт. — Как мой отец, который...

Он оборвал себя и страдальчески поморщился.

— Я думал, ваш отец в психиатрической больнице, — удивился Зимородков.

— Да, но мама давно в земле, а он жив, здоров и по-прежнему ест и пьет за двоих... Это несправедливо.

Так как Амалия не была сейчас в настроении дискутировать по поводу справедливости (и, кроме того, понимала, что ничего нового она все равно сказать не сможет), она поднялась с места, подошла к комоду и извлекла оттуда небольшую книгу.

— Кстати, Гиацинт Христофорович... Это вам. Небольшой подарок, если угодно...

Леденцов посмотрел на хозяйку дома, на книгу и взял том в руки. Это был роман, изданный лет тридцать тому назад — «История храброго рыцаря Гиацинта, который объездил весь свет, борясь со злодеями, и о том, как он взял в жены чужеземную принцессу». Титул уверял, что книга является переводом с итальянского, но, как заметила Амалия, роман, судя по стилю и оборотам, сочинил какой-то отечественный автор, согласившийся на иностранный псевдоним для того, чтобы его творение лучше расходилось.

— А я и забыл, что он был рыцарь, — вздохнул Гиацинт. — Я так давно не видел эту книгу — по правде говоря, даже не думал, что сумею ее отыскать... — Его щеки порозовели, он прижал книгу к груди. — Благодарю вас, сударыня.

И все трое отправились в музыкальную комнату слушать Чигринского, по молчаливому уговору решив больше не упоминать о делах.

— Там, где замок феи превращается в место заточения принца, нам понадобится сложная декорация, — говорил поэт. — Я уже попросил, чтобы из Москвы вызвали Вальца.

— А? — рассеянно спросил Чигринский. — Кто такой Вальц?

— Карл Федорович — лучший мастер по декорациям и сложным эффектам, — объяснил Нередин. — Вот он и займется ими в нашем балете.

— «Наш балет», до чего я дожил! — гремел Чигринский, подбирая на рояле мелодию. — Нет, не то... Вот, послушай... Понимаешь, что это такое? Я отыскал настоящие танцы того времени, средневековую музыку, чтобы стилизовать под нее некоторые мелодии — не весь балет, конечно, потому что искусство ушло с тех пор далеко вперед, но кое-где... тонкие штришки, понимаешь... И хотя ни один баран... простите, госпожа баронесса... ни один человек в публике не поймет, что я имел в виду... кто-нибудь когда-нибудь почувствует, что я хотел сказать...

— Нам кажется, что Средневековье было грубым временем, а ведь тогда делали очень тонкие вещи, — заметил поэт. — К примеру, в музее Клюни я видел золотую розу...

— Ну и что? Золотая роза не пахнет, — фыркнул Чигринский. — Чепуха какая-то...

— Вот и я подумал об этом. Я хочу сделать золотую розу символом феи, а настоящая будет символом невесты принца...

— И опять будешь переписывать либретто?

— Почему бы и нет? Ты все равно и половину музыки не написал...

— Думаешь, это так просто? Золотая роза... роза... черт знает что такое! Амалия Константиновна, вы любите розы?

— Ничего против них не имею, — с улыбкой ответила молодая женщина.

— Думаю, публика будет в восторге, — сдался композитор. — Вообще «Золотая роза» — неплохое название для балета, — и Дмитрий Иванович сыграл нечто бурное и стремительное, из-за чего зрителям неожиданно стало казаться, что у него не две руки, как у всех людей, а четыре, если вообще не шесть.

— Постой, а ты не хочешь спросить мнение Лидии Малиновской насчет названия? — спросил Нередин.

— А при чем тут Лидия? — искренне удивился Чигринский. — Ее дело танцевать, па-де-де, элевация[1], а что уж я там придумаю, ее не касается...

Алексей отлично знал, что именно Лидия будет считать, что ее все касается, от первого такта партитуры до фасона костюма и выбора партнеров, но не стал возражать, по опыту зная, что это совершенно бесполезно.

...Когда поздно вечером Гиацинт Леденцов в одиночестве возвращался домой, он чувствовал себя так, словно только что побывал в совершенно другом мире — даже не на луне, а на далекой, далекой планете, где царила музыка, безудержная фантазия, полет вдохновения, и где люди жили совсем другими интересами. Он больше не удивлялся, почему Амалия сразу же, даже не вникая хорошенько в обстоятельства дела, взяла Чигринского под свою защиту — конечно, она поняла, что он и был тот самый человек с другой планеты, который только притворяется, что ест, пьет и считает деньги, как все люди, но на самом-то деле жизнь его состоит совсем из другого, и никогда не пойдет он ни на какое преступление — потому что на его планете подобное попросту невозможно. И Гиацинт был благодарен

---

[1] Прыжок в воздух (балетный термин).

Валерия Вербинина

нескладному, некрасивому композитору за то, что благодаря ему хоть на несколько часов перенесся на его планету музыки и фантазии. Ибо сыщик Леденцов отлично понимал, что сам-то он создан совершенно для другой жизни, а в мире Чигринского может быть только редким гостем — не более того.

На лестнице Гиацинт встретил квартирную хозяйку, которая сказала, что его дожидается какой-то гвардеец, и Леденцов почувствовал, что его мир вновь вступает в свои права.

— Он сказал, что его зовут Владимир Павлов, — добавила хозяйка.

«Что ему надо?» — подумал сыщик, нахохлившись. Взволнованный корнет поднялся со стула ему навстречу.

— Простите, что позволил себе вас побеспокоить... Я прочитал в газете... — Он достал из кармана скомканный сероватый лист. — Они пишут, что капитан Печенкин был главарем шайки, которая занималась грабежами и убийствами...

— Нет, — внезапно разозлившись, выпалил Леденцов. — Главарем был вовсе не Печенкин.

И, все еще сердясь из-за того, что ему перебили послевкусие того чудесного мира, в который он погрузился в комнате с зеленым роялем, он объяснил корнету всю подоплеку дела.

— Этого не может быть... — пробормотал молодой человек. — Господин Курагин... светский человек... из прекрасной семьи! А капитан Печенкин — отставной военный... Он не мог убивать беззащитных людей!

Гиацинт пожал плечами. Внезапно ему все надоело — и его работа, и дело, которое удалось раскрыть лишь наполовину, и этот слабовольный простофиля, пользовавшийся милостями Ольги и состоявший у нее на содержании, который теперь беспомощно хлопал глазами и ждал от него каких-то объяснений.

— Можете не верить, дело ваше, — холодно сказал Леденцов. — Но именно Алексей Михайлович Печенкин убил вашу знакомую, а приказал ему наверняка господин Курагин. Только нам никогда этого не доказать, потому что он слишком хорошо знает законы и умеет заметать следы.

— Этого не может быть... — вяло повторил Павлов.

Он ждал еще чего-то — может быть, дополнительных разъяснений, — но Леденцов молчал. Неловко попрощавшись, корнет шагнул к выходу, но он двигался, как сомнамбула, не видя ничего вокруг себя, и плечом врезался в стену.

— Вы не ушиблись? — на всякий случай спросил Леденцов.

— Я? — Владимир обратил к нему бледное лицо со странной, застывшей улыбкой. — Нет. Душа болит, — добавил он, — но это такие пустяки!

«Что он хотел сказать?» — подумал Леденцов, когда за гостем затворилась дверь. Однако корнет так мало интересовал его, что Гиацинт уже через минуту забыл о нем.

Он прочитал несколько страниц из романа, который любила его мать, и разочарованно закрыл книгу. Это тоже был осколок какого-то другого мира, хотя, на вкус сыщика, этот мир был чересчур сентиментален и малость глуповат.

Сидя в уютном старом кресле, Леденцов задумался над тем, нет ли у них какой-либо возможности притянуть к ответу Максима Курагина, но по зрелом размышлении вынужден был признать, что нет. Разве что, усмехнулся сыщик, взять револьвер и влепить этому самоуверенному чистенькому мерзавцу пулю в грудь. С этой утешительной мыслью Гиацинт и лег спать.

— *Что вам угодно, сударь?*

— *Я хотел бы купить револьвер...*

— *Французский, американский? У каждого из них свои достоинства...*

— *Нет, это для меня дороговато... Я хотел бы что-нибудь подешевле.*

— *Тульский? — Приказчик всем своим лицом изобразил самое искреннее сомнение. — Честное слово, сударь, хотя он и дешев, но... право, не советую его брать. Один вот купил такой и случайно ногу себе прострелил, а все потому, что не знаешь, когда он, подлец, выстрелит...*

— *Но он стреляет?*

— *Ну... да.*

— *Это все, что мне нужно...*

Через несколько дней Зимородков вызвал Леденцова к себе.

— Гиацинт Христофорович, садитесь, голубчик... Нет-нет, я сам затворю дверь. Дело вот в чем: расследование завершено, но... Я предлагаю все-таки его продолжить. Понимаете, Амалия Константиновна вчера сказала одну вещь, которая заставила меня задуматься...

— Вы все же надеетесь взять Курагина? — спросил Леденцов после паузы.

— Скажу вам больше: я сочту личным для себя оскорблением, если этот молодчик будет разгуливать на свободе.

Леденцов поднялся с места и протянул Зимородкову руку.

— Александр Богданович, располагайте мной, как сочтете нужным... Я с вами.

Чиновник молча пожал Гиацинту руку, но тот видел, что Зимородков тронут.

— Я узнал, что этот прохвост собирается съездить в Финляндию вместе с супругой. Что ж, май — весьма подходящее время для путешествия...

— Какова цель его поездки? — быстро спросил Леденцов.

— У него там имение с великолепным видом. Он купил его через несколько месяцев после убийства Никитиной, — мрачно добавил Александр Богданович.

...В купе первого класса молодая беременная женщина читала французский модный журнал. В дверь постучали. На пороге стоял носильщик с небольшой подушкой. У его ног прикорнул огромный чемодан.

— Это не наши вещи, — сказала дама удивленно, опуская журнал.

— А вы, сударыня...

— Я Ольга Курагина. Нет, это не наши вещи, вы, верно, ошиблись...

Через несколько минут Максим Васильевич (он отходил за сигаретами) вернулся в купе.

— О... Оля! Оленька!

Полулежа на бархатном диване, его жена билась в последних конвульсиях. На ее груди расплывалось кровавое пятно. На другом конце дивана, ближе к выходу, валялся дешевый револьвер.

— Оля! — закричал Курагин, еще не веря, что вся его жизнь в это мгновение рушится окончательно и бесповоротно, и отныне уже ничто не будет так, как было прежде. — Боже мой! На помощь! Помогите!

Не соображая, что делает, он схватил револьвер, и тут случилось нечто ужасное. Дрянное дешевое оружие подпрыгнуло в его пальцах и от толчка выстрелило. Пуля попала Ольге в голову. Молодая женщина перестала биться и стала сползать вниз...

Однако за мгновение до выстрела, услышав крики адвоката, в купе ворвались двое людей в штатском. Это были Александр Зимородков и Гиацинт Леденцов.

— Ее убили! — закричал Максим Васильевич, бросаясь к ним. — Убили, вы понимаете? Боже мой!

— Да, Максим Васильевич, — кивнул Зимородков, ловко вынимая револьвер из его пальцев. — Мы с господином Леденцовым видели, как вы только что застрелили свою жену. Это произошло на наших глазах.

Адвокат окаменел.

— Но я... Это не я! Не я, понимаете? Я любил ее! Я жизнь бы за нее отдал... Револьвер сам выстрелил! Сам!

— Я понимаю, что трудно остановиться, когда все всегда сходило с рук, — холодно сказал Зимородков. — Говорят, вас недавно видели на ипподроме с певицей Кирсановой.

— Я просто беседовал с ней...

— Неужели? И после этой беседы вы решили избавиться от своей жены? Что, убить ее оказалось проще, чем просить развода?

Понимая, что ему не верят и скорее всего не поверят уже никогда, Курагин застонал и повалился на колени, уткнувшись лицом в платье мертвой жены...

А на другом конце вокзала человек, переодетый носильщиком, содрал с себя униформу, обернул ее вокруг простреленной подушки, сыгравшей роль глушителя, и быстрым шагом двинулся прочь.

Выстрелив в жену адвоката, он ощутил такой ужас, что выронил оружие, попятился из купе и бросился прочь. Отчаяние и паника подгоняли его. Ему было мучительно плохо с самим собой, но раньше, когда он думал о том, что действия Курагина останутся неотомщенными, было еще хуже.

Он ощущал себя убийцей и был готов к тому, что первый же городовой неминуемо арестует его. Но никто не обращал на него внимания, не считая девушек-работниц, которые поглядывали на молодого привлекательного человека с улыбкой.

После того, что он совершил, Владимир Павлов хотел только одного: добраться до своей квартиры и застрелиться. Но майский день был так хорош, что мысли о смерти как-то незаметно отступили на задний план.

Он шел, чувствуя, как мало-помалу успокаивается бешено пульсировавшая в артериях кровь, и думал о том, что в жизни у него никого не было, кроме Ольги Верейской. Ветреная, легкомысленная, неверная, она все же единственная по-настоящему любила его, и когда ее у него отняли — так, мимоходом, ни за что, если вдуматься, — он почувствовал себя так, словно у него вырвали душу.

Раньше его ужаснула бы одна мысль о том, чтобы обидеть женщину, а теперь он поймал себя на том, что лишь пожимает плечами, думая об убийстве Ольги Курагиной. Нет, он не собирался ее убивать. Он хотел убить ее мужа. Но адвоката в купе не оказалось, он куда-то исчез. Зато оказалась эта женщина, которая равнодушно поглядела на него, одетого носильщиком, и сказала, что ее зовут Ольга.

...И он убил ее, не раздумывая.

А что, в сущности, такого? Он мучился, рыдал, запершись в комнате, чтобы никто не видел его страданий и не разболтал о них (как многие люди, которых считают слабовольными, Владимир на самом деле был очень горд). После того, как он похоронил Ольгу, заняв денег везде, где только можно, он чуть не сошел с ума, страдал ужасно, невыносимо, думал о самоубийстве, — так пусть Курагин теперь тоже помучается. Пусть гадает, кто из родственников его жертв сумел до него добраться. Ольга за Ольгу — разве это не справедливо? Разве женщина, сидевшая в купе, не пользовалась плодами преступлений своего мужа?

И когда корнет прочитал в вечерней газете, что адвокат Курагин застрелил жену, чтобы соединиться с известной певицей, разбившей не одно сердце, Владимир совершенно успокоился и понял, что судьба на его стороне. Он достал золотую папиросницу, которую Оленька хотела подарить ему на день рождения, закурил папиросу и, глядя на темнеющее над мостами небо, стал думать обо всем, что могло бы у них быть и чего теперь уже не будет никогда.

ЭПИЛОГ

«ЗОЛОТАЯ РОЗА»

— А Лидия Сергеевна-то как волнуется!

— И не говорите... Накануне генеральной устроила истерику, что позумент на пачке у госпожи Герман, которая танцует принцессу, пошире... а ведь главная партия у Малиновской...

— Осторожнее, черти, промускатон[1] не заденьте!

— Не волнуйтесь, Карл Федорович, все будет как надо...

— Будет? Будет? Не будет, а должно быть! Химики! Химики! Что там со светом? Смотрите у меня...

— Алексей Иванович, — не удержалась Амалия, — а почему осветители в театре называются химиками?

— Почему? Почему... гм... Потому что освещение газовое, а газ — это химия...

— Химики, чтоб вас!

— Карл Федорович, здесь дамы!!

— Приношу свои извинения, сударыня... Но химики... вечно химичат!

Маленький бешеный Вальц — великий Вальц, которого выписали из Москвы специально для по-

---

[1] Веревка (канат), на которую крепится люстра (театральное выражение).

становки «Золотой розы», — пыхтел, как вулкан, бегал так быстро, что порой возникало впечатление, что он находится в нескольких местах одновременно, и ругался, на зависть любому возчику, погоняя рабочих и осветителей. Чигринский, сопровождаемый верным Прохором, метался между гримерок с выражением блаженного ужаса на лице, а Азарян, который сдержал свое слово и должен был дирижировать на премьере и на последующих представлениях, в привычной для него иронической манере рассказывал кому-то из гостей за кулисами:

— В императорских театрах случаются на редкость оригинальные администраторы... Слышали о Майкове, двоюродном брате поэта? Нет? Так вот, подали ему однажды бумагу, что нужны музыканты на пульты вторых скрипок. Майков обиделся и кладет начальственную резолюцию: «Императорский театр достаточно богат, чтобы иметь только скрипки первые...»

К Нередину подбежал помощник режиссера и, жестикулируя, стал ему что-то горячо говорить.

— Что там такое? — нетерпеливо спросил Чигринский.

— Критику из «Русского слова» забыли билет прислать... скандал!

— Я не выдаю билеты, — с вызовом сказал Дмитрий Иванович, дергая шеей. Он взмок, нервничал и мечтал только об одном — чтобы все как можно скорее закончилось и была бы хоть какая-то определенность: провал или успех. — Засуньте его в клоповник, что ли...

— Дмитрий Иванович, — возмутился помреж, — русское слово не может сидеть в клоповнике!

— А клоповник — это что? — с любопытством поинтересовалась Амалия у поэта и по совместительству автора либретто.

— В зале рядом с партером есть свободное пространство, куда пускают зрителей с контрамарками, когда все битком... Фамильярно его и называют «клоповник».

— Вы, кажется, совсем не волнуетесь, Алексей Иванович, — не удержавшись, заметила Амалия.

Поэт метнул на нее быстрый взгляд.

— Это только одна видимость, госпожа баронесса, — сказал он после паузы.

Азарян поднялся, взял свою дирижерскую палочку (он всегда сидел на ней перед представлением — это была его личная примета на счастье) и удалился. Мимо Амалии и Нередина пробежала стайка балерин в колышущихся пачках. Воздух словно сгустился, как всегда бывает перед премьерой, когда вот-вот раздадутся первые такты увертюры. Поняв, что здесь они будут только мешать, Амалия и Нередин перешли в ложу баронессы, где уже сидел Александр.

— Его императорское величество все-таки приехал, — сказал барон Корф. «Все-таки» означало, что царь больше жаловал другую балерину, которая не была занята в спектакле, и до самой последней минуты не знали, будет он или нет.

...Пока Чигринский сочинял балет, пока Нередин шлифовал либретто, пока шли репетиции и писали декорации, умер Александр III, и на престол вступил Николай II. Амалия поймала себя на том, что никак не может составить о личности нового императора определенное мнение, а Россия именно та страна, где многое зависит от личности правителя. Николай Александрович весь был какой-то зыбкий, внешне чрезвычайно учтивый, прекрасно воспитанный, и, конечно, нельзя было представить, чтобы он, к примеру, повел себя с австрийским послом как его отец. (Когда тот намекнул, что Австрия выдвинет свои дивизии к границам России, Александр взял его вилку, завязал ее узлом, бросил на тарелку и сказал: «Вот что я сделаю с вашими дивизиями».)

Но тут Амалия услышала хрустальный звон и поспешила сосредоточиться на том, что происходило на сцене. Из истории принца Карла Орлеанского Нередин сделал очаровательную и грустную сказку о человеке, который не по своей воле пошел на войну, был ранен и попал в замок феи, которая подарила ему золотую розу вдохновения. Но что бы фея ни делала, он не мог забыть свою невесту, девушку, которая могла подарить ему разве что простую розу. В конце концов фея в гневе отказывается от принца, он просыпается в плену и понимает, что прошло много лет и он уже старик. Во сне ему снова является фея, которая просит его образумиться и зовет обратно, завлекая золотой розой и обещая вернуть молодость. Но тут наяву появляется его невеста, принцесса, которая долго искала своего жениха и привезла за него огромный выкуп. Его отпускают, но здесь опять является фея (теперь это, пожалуй, уже злая ведьма), и он, отказавшись от нее, умирает у ног своей невесты.

Уже после первого акта стало ясно, что балет обречен на успех. Публика аплодировала после каждого удачного момента, после каждой находки Вальца и каждого прыжка легкого, как воздух, Гремиславского, танцевавшего принца. Их история любви и ненависти с героиней Малиновской на сцене выглядела настолько органично, что даже сидящий в публике Изюмов пропыхтел: «Прекрасно... изумительно...» и зааплодировал вместе с остальными.

Искренне страдал только критик «Русского слова», которому все-таки пришлось смириться с местом в клоповнике (за что он, само собой, принял решение написать о балете разгромную статью). Рядом с ним на переносном стульчике примостился Леденцов (у него не хватило духу попросить у Амалии место в ее ложе, а она не догадалась его пригласить). Его душа вновь парила в чудесном мире, созданном кудесником Чигринским, и, когда тот, багровый от волнения, вышел на поклоны, Гиацинт так громко кричал «браво», что чуть не оглушил сидящего рядом с ним немолодого господина с желчным лицом, который отшатнулся и посмотрел на горящего энтузиазмом зрителя с явным неодобрением.

Все плыло перед Чигринским, пот заливал ему глаза. Композитор кланялся и кланялся, как заведенный. Сияли люстры, струились блеском бриллианты на шеях и запястьях дам, от золота лож рябило в глазах. Он ощущал не то чтобы головокружение от успеха, но невероятное, ни с чем не сравнимое удовлетворение от того, что все оказалось не зря — его колоссальный труд, старания Алексея, золотая роза, зеленый рояль, история принца-поэта... И если бы кто-нибудь сейчас напомнил ему о том, с чего все начиналось, о его терзаниях и музыкальной немоте, об очаровательной Оленьке и ее гибели, о баронессе Корф и встрече с ней в самый, может быть, драматический момент его жизни — он бы, пожалуй, даже не понял, какое все это имеет к нему отношение, потому что давно уже перевернул эту страницу и почти забыл о том, что случилось когда-то. Он был кудесником, создающим миры, в которых людям хотелось жить, а все прочее — все прочее не имело абсолютно никакого значения.

Литературно-художественное издание

КЛЮЧИ СУДЬБЫ

Вербинина Валерия

ЗАБЛУДИВШАЯСЯ МУЗА

Ответственный редактор *О. Рубис*
Редактор *Т. Другова*
Художественный редактор *Д. Сазонов*
Технический редактор *Ю. Балакирева*
Компьютерная верстка *О. Шувалова*
Корректор *Н. Сикачева*

В оформлении обложки использованы иллюстрации:
artemova julia, Iosw / Shutterstock.com
Используется по лицензии от Shutterstock.com

ООО «Издательство «Эксмо»
127299, Москва, ул. Клары Цеткин, д. 18/5. Тел. 411-68-86, 956-39-21.
Home page: **www.eksmo.ru**   E-mail: **info@eksmo.ru**

Өндіруші: Издательство «ЭКСМО»ЖШҚ, 127299, Мәскеу, Ресей, Клара Цеткин көш., үй 18/5.
Тел. 8 (495) 411-68-86, 8 (495) 956-39-21
Home page: www.eksmo.ru   E-mail: info@eksmo.ru.
Тауар белгісі: «Эксмо»
Қазақстан Республикасында дистрибьютор және өнім бойынша арыз-талаптарды
қабылдаушының
өкілі «РДЦ-Алматы» ЖШС, Алматы қ., Домбровский көш., 3«а», литер Б, офис 1.
Тел.: 8(727) 2 51 59 89,90,91,92, факс: 8 (727) 251 58 12 вн. 107; E-mail: RDC-Almaty@eksmo.kz
Өнімнің жарамдылық мерзімі шектелмеген.
Сертификация туралы ақпарат сайтта: www.eksmo.ru/certification

Сведения о подтверждении соответствия издания согласно
законодательству РФ о техническом регулировании можно
получить по адресу: http://eksmo.ru/certification/

Өндірген мемлекет: Ресей
Сертификация қарастырылмаған

Подписано в печать 26.07.2013. Формат 84x108^1/$_{32}$.
Гарнитура «Таймс». Печать офсетная. Усл. печ. л. 16,8.
Тираж 4000. Заказ № 3041/13.

Отпечатано в соответствии с предоставленными материалами
в ООО «ИПК Парето-Принт», г. Тверь, www.pareto-print.ru

ISBN 978-5-699-66519-8

9 785699 665198 >

СЕРИЯ ДЛЯ ЛИТЕРАТУРНЫХ ГУРМАНОВ

ВЫСОКОЕ

ИСКУССТВО ДЕТЕКТИВА

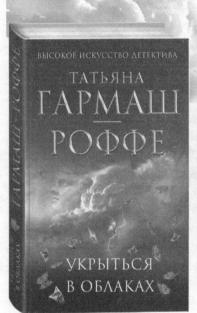

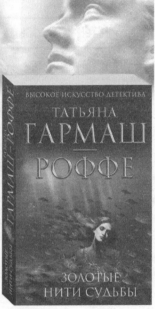

ТАТЬЯНА ГАРМАШ-РОФФЕ отлично знает, каким должен быть настоящий детектив, и следует в своих романах законам жанра. Театральный критик, она умеет выстраивать диалоги и драматургию чувств. Неординарная личность, она дарит часть своей харизмы персонажам. Непредсказуемость сюжетных поворотов, точность в логике и деталях, психологическая достоверность в описании чувств, — таково **ВЫСОКОЕ ИСКУССТВО ДЕТЕКТИВА** Татьяны Гармаш-Роффе.